16.75

013873

D1373961

LES CRISES DU CAPITALISME

collection tempus

Nicolas BAVEREZ, Régis BÉNICHI, Jean BOUVIER,
Sylvie BRUNEL, François CARON, Philippe CHASSAIGNE,
Joël CORNETTE, Hernando DE SOTO,
Michel MARGAIRAZ, Jacques MARSEILLE,
Pierre-Jean MARTINEAU, Pierre MICHELBACH,
Alain PLESSIS, Olivier POSTEL-VINAY,
Anthony ROWLEY, Olivier WIEVIORKA

LES CRISES
DU CAPITALISME

Du krach de la tulipe
à la récession mondiale

PERRIN
www.editions-perrin.fr

Les contributions de cet ouvrage ont paru dans
le hors-série *Marianne / l'Histoire* en mars-avril 2009.

© Sophia Publications, Paris, 2009
© Perrin, 2009 pour la présente édition
ISBN : 978-2-262-03079-7

tempus est une collection des éditions Perrin.

Les crises du capitalisme ont aussi une histoire

Le capitalisme*[1] n'est pas une idéologie, c'est un mode de production. Selon Karl Marx, qui, au XIXe siècle, a imposé le mot, les choses étaient claires. Le capitalisme – caractérisé par la propriété privée des moyens de production, la libre entreprise, le marché, le salariat et l'expansion des forces productives – succédait à l'esclavage et au servage. De ses contradictions et de l'initiative révolutionnaire émanant d'une nouvelle classe sociale – le prolétariat – devait découler l'avènement du socialisme.

Est-ce si simple ? Sans entrer dans les vues théoriques du mouvement socialiste, l'historien est amené à faire plusieurs constats. La révolution léniniste d'octobre 1917 invite à penser que les liens entre la guerre et la révolution sont plus forts qu'entre la révolution et la crise économique. Dans

---

1. Les mots suivis d'un astérisque sont définis dans « Les mots-clés du capitalisme », p. 221.

les années 1930, la crise* du capitalisme, loin de favoriser une révolution socialiste, a permis aux forces d'extrême droite – à commencer par le nazisme, en Allemagne – d'imposer leur pouvoir.

Il n'y a aucune nécessité mécanique qui mène de la crise à la victoire du socialisme – entendu comme la suppression de la propriété et la collectivisation des moyens de production. Aucune nécessité donc, mais aucune interdiction non plus, car rien n'autorise à affirmer que la crise actuelle ne profitera qu'à des tentatives de restauration politique autoritaire, comme dans les années 1930, ou que la gauche révolutionnaire est vaincue d'avance. On peut aussi concevoir qu'entre les deux, le réformisme médian a ses chances. Le New Deal lancé par le président Roosevelt au printemps 1933 en est la plus éclatante démonstration. L'intervention de l'Etat, sans remettre en cause le régime capitaliste, permit d'assurer le retour à la prospérité économique et installa l'hégémonie des Etats-Unis sur le monde. En juillet 1944, le système de Bretton Woods, qui assura la croissance* des Trente Glorieuses, était aussi le triomphe de l'économiste britannique John Maynard Keynes.

Qui maîtrise les affaires ?

Cette histoire optimiste conforte une tout autre lecture des crises du capitalisme. Dans cette optique, ce mode de production, loin d'être né au

XIXᵉ siècle, est vieux comme le marché. Les marchands du Moyen Âge – leur goût pour les registres de comptes et leur esprit d'initiative – en ont été les pionniers ; il faut aussi admettre que les passions spéculatives ont enfiévré l'Europe dès l'époque de la guerre de Trente Ans ; l'âge industriel enfin, si bien étudié par Karl Marx, n'a peut-être fait que donner une ampleur nouvelle aux krachs retentissants nourris par la folie des hommes.

D'où la théorie des cycles, auxquels l'économiste russe Nikolaï Kondratiev a donné son nom – il le paya cher, victime de l'un des premiers procès de Moscou. Dans la Russie soviétique de Staline, on ne pouvait accepter l'idée que le capitalisme renaîtrait toujours de ses cendres. Ce débat séculaire entre les partisans de la crise finale et les libéraux optimistes reste ouvert aujourd'hui.

La vraie question est celle des rapports entre l'économie et la politique, et elle n'est pas simple. Nous avons, depuis des lustres, abandonné la croyance dans le déterminisme selon lequel l'économie ferait la pluie et le beau temps dans un registre politique réduit à l'état fragile de superstructure dépendante. En même temps, nous sommes convaincus que la politique ne peut s'affranchir de l'influence économique : l'intendance quelquefois peine à suivre. Niveau de vie, taux de chômage, salaires, inflation*, espoirs de promotion, régression sociale, tous les gouvernements, surtout en démocratie, doivent assurer un taux de satisfaction suffisant de la part du plus grand nombre pour ne pas sombrer.

Mais quel gouvernement peut-il aujourd'hui se vanter d'avoir la maîtrise des affaires ? La question est d'autant plus aiguë que, à la fin du xxe siècle, l'économie est devenue mondiale, quand les gouvernements ne sont que nationaux. La puissance surmultipliée des médias aiguise encore le travail de l'imaginaire. La peur de la crise renforce la crise ; les cris d'alarme stérilisent le crédit ; la peur du chômage freine la consommation. La morale s'en mêle devant les superprofits, parachutes dorés et autres *stock options** des dirigeants de la finance, mais la satisfaction de voir chuter les « gros » ne suffit pas à apaiser les angoisses.

Qui paiera cette fois le prix de la crise, et comment en sortira-t-on ? Marx est-il de retour ? Dans sa filiation, les idéologues n'hésitent pas à imaginer l'effondrement, définitif cette fois, du système. D'autres, plus pragmatiques ou plus historiens, repassent au crible le scénario modèle de la crise de 1929 : crise boursière, crise bancaire, crise économique, crise sociale, crise politique. Or, plus encore que la spéculation boursière, ce qui précipita alors les Etats dans la récession*, ce fut l'éclatement du système monétaire international, le triomphe du protectionnisme* et l'absence de concertation entre les gouvernements.

A l'heure de la crise mondialisée, et afin d'éviter les drames de la misère, quand les chômeurs se comptent par dizaines de millions, le défi est d'imaginer les outils d'une nouvelle régulation mondiale et les modes opérationnels de la solidarité. C'est évidemment plus facile à énoncer qu'à réaliser. Mais il faut s'y résoudre. L'histoire n'est pas finie. Elle est imprévisible.

I

PREMIÈRES FIÈVRES SPÉCULATIVES

La tulipe au prix de l'or

Le 5 février 1637, dans la bonne ville d'Alkmaar, à une trentaine de kilomètres d'Amsterdam, des dizaines de bulbes de tulipe appartenant au défunt Wouter Bartholomeusz Winckel, tenancier d'auberge, sont vendues aux enchères au profit de ses enfants orphelins. Les prix atteignent des sommets. Un bulbe de tulipe Viceroy est adjugé pour 4 203 florins, un autre, Admirael van Enchuysen, est vendu 5 200 florins – pour donner une idée de ce que cela représentait, seuls les citoyens d'Amsterdam disposant de biens supérieurs à 1 000 florins étaient assujettis à une lourde fiscalité. Et puis, soudain, ce fut le krach. Dès le 7 février, les spécialistes du marché des tulipes se réunissaient à Utrecht et élisaient des représentants pour discuter de la conduite à tenir face au subit effondrement des cours.

L'épisode s'inscrivit dans les annales comme étant le premier exemple de bulle financière. Le récit de référence est rapporté dans un best-seller anglais du xixᵉ siècle, *Extraordinary Popular Delu-*

sions & the Madness of Crowds (Les Délires collectifs extraordinaires et la folie des foules), paru en 1841. L'auteur, Charles Mackay, présente la société hollandaise comme saisie par la folie du commerce de la tulipe, les gens allant jusqu'à vendre leur maison pour acheter des bulbes. « *Nobles, citoyens, ouvriers spécialisés, fermiers, marins, valets, servantes, même les ramoneurs et les vieilles fripières* » étaient impliqués. Logiquement, la chute des cours entraîna une crise* économique majeure.

En 1990, peu après le krach de 1987, le grand économiste John Kenneth Galbraith, se fondant sur le livre de Mackay, fit de l'affaire des tulipes un exemple phare dans son livre *Brève histoire de l'euphorie financière*. Les médias s'emparèrent à nouveau de l'épisode après le krach de la bulle Internet, en 2000, puis fin 2008, dans le sillage de la nouvelle crise. Selon un site Internet destiné aux étudiants en économie financière, la bulle fit « *s'effondrer le prix des tulipes de 90 % en quelques semaines, puis à nouveau de 80 %. La première bulle recensée de l'histoire venait d'éclater, la première d'une longue liste, comme si les hommes n'apprenaient pas de l'histoire* ».

Mais que fallait-il retenir de l'affaire ? Anne Goldgar, historienne américaine, démontre dans un livre[1] que la description d'une crise financière de grande ampleur affectant toute la société

1. Anne Goldgar, *Tulipmania. Money, Honor, and Knowledge in the Dutch Golden Age,* University of Chicago Press, 2007.

remonte, pour l'essentiel, à un pamphlet virulent contre le commerce des tulipes, publié en 1637 : *Dialogue entre Bouche de vérité et les Dieux avides*. En réalité, la journée du 5 février 1637 vit bien un effondrement des cours, mais celui-ci n'affecta qu'une petite communauté et fut de courte durée. Le krach des tulipes ne fut pas véritablement une crise financière, mais plutôt un accroc dans la longue et captivante histoire d'un marché de spécialistes passionnés. Pour Anne Goldgar, ce fut surtout une crise culturelle.

Objet du désir

Les premiers amoureux de tulipes furent les Turcs. C'est en se rendant à Constantinople que des voyageurs hollandais de la fin du XVIᵉ siècle contractèrent cette passion et la rapportèrent chez eux. La tulipe s'ajouta alors aux diverses curiosités de la nature, coquillages et autres, recherchées par les collectionneurs. Elle captiva les botanistes européens, qui s'envoyaient des bulbes rares pour admirer la variété des formes et des couleurs qui allaient apparaître, pendant deux courtes semaines au printemps. Certaines tulipes devinrent alors une rareté que les amateurs de fleurs, de plus en plus nombreux à cette époque, souhaitaient acquérir. Mais nulle part autant qu'en Hollande. Dans la première moitié du XVIIᵉ siècle, cette république bourgeoise connaissait une grande prospérité, née du commerce naval et accrue par le déclin d'Anvers, soumis au joug espagnol. La population d'Amsterdam quadrupla en cinquante ans. Une Bourse* avait été créée, des banques prospéraient. C'est dans ce contexte que le commerce des bulbes se développa. Une communauté se forma, composée de bourgeois fortunés, souvent de confession mennonite. Chacun avait son jardin, au pied de sa maison ou à l'écart de la ville. Pour un bulbe prometteur, un *bloemist* (acheteur et vendeur de tulipes) pouvait payer le même prix que pour une toile de maître. Beaucoup étaient d'ailleurs aussi des acheteurs de tableaux. C'était l'époque de Rembrandt, alors au sommet de son art.

Dès 1614, vingt-trois ans avant la crise, on voit apparaître des dessins et des écrits sur les « fous de tulipes ». En 1623, un bulbe de Semper Augustus est vendu 1 000 florins ; deux ans plus tard, la même espèce trouve un acheteur pour 3 000 florins : on voit combien la flambée des prix à la veille du krach n'était pas hors norme. Mais ce qui rendait ce marché exceptionnel, c'était la nature de l'objet vendu : un bulbe, qui passait le plus clair de l'année sous terre, sans que l'on put s'assurer de ce qui allait advenir au moment de la floraison. La panique de 1637 s'explique largement pour cette raison : la vente eut lieu en février. Les enchères portaient sur des bulbes enterrés, invisibles. Certains avaient pu être volés (une pratique courante), d'autres pouvaient être malades. L'achat devait reposer sur un haut degré de confiance. Que celle-ci fût ébranlée, pour tel ou tel motif, et la transaction pouvait sembler reposer sur du sable – ou du vent, comme l'illustrèrent les caricaturistes.

C'est justement la remise en cause des relations de confiance au sein de la communauté des *bloemisten* qui entraîna la crise culturelle évoquée par Anne Goldgar. Quand les acheteurs virent les cours s'effondrer, ils refusèrent d'honorer leurs engagements. Des litiges s'ensuivirent, avec arbitrages et parfois procès. L'honneur d'une communauté fut entamé, et ceux qui n'y appartenaient pas, qui ne comprenaient pas les ressorts de ce marché si spécial et si visible en même temps, réagirent vivement. Dans ce pays dominé par les calvinistes, la dénonciation des pratiques d'une élite de riches bourgeois, souvent non calvinistes, spéculant sur des objets jugés sans valeur réelle, prit comme un feu de paille, devenant un leitmotiv pour des libelles et des caricatures en tout genre. Mais même à cet égard, la crise fut passagère. Le commerce des bulbes reprit comme avant, souvent au prix fort, et les artistes, qui avaient élevé la nature morte au rang du plus grand art, continuèrent à peindre de magnifiques bouquets de tulipes.

La ruine du système de Law

A la mort de Louis XIV, en 1715, la situation financière de la France paraît désespérée : la dette publique* s'élève, en capital, à 1,2 milliard de livres et le déficit annuel se monte à près de 80 millions – soit l'équivalent d'une dizaine d'années de recettes. Par le jeu des « anticipations », les revenus du Trésor pour 1716-1717 ont été consommés à l'avance. Les 600 millions de billets d'Etat, qui sont en réalité des reconnaissances de dette, ont perdu de 80 % à 90 % de leur valeur nominale et le crédit public est ruiné...

Face à cette conjoncture catastrophique, le régent Philippe d'Orléans envisage de convoquer les Etats généraux. Il en est vite dissuadé, notamment par son ami d'enfance, le duc de Saint-Simon, qui craint que l'Assemblée ne devienne incontrôlable. Dans l'urgence, l'Etat royal recourt d'abord à quelques expédients. Ainsi de la réduction des rentes ou des restrictions sur le train de vie de la Cour : l'écurie royale est ramenée à 100 chevaux, la musique réduite à 24 violons et les frais de bouche divisés par vingt... Peu après, le régent décide d'accepter une banqueroute partielle et déguisée, avant qu'une Chambre de justice ne soit chargée, en mars 1716, de faire rendre gorge aux « traitants », et autres brasseurs d'affaires accusés d'être à l'origine de la faillite de l'Etat.

C'est alors qu'entre en scène un certain John Law... Né à Edimbourg en avril 1671, cet Ecossais, dont le nom se prononce « Lass » en français, est le fils aîné d'un banquier-orfèvre. Contraint de fuir son pays en 1695 après un duel pour « une histoire de femmes », il a voyagé partout en Europe, menant une vie de plaisirs et de jeux à Londres, Amsterdam, Venise ou Gênes. Mais il a également entrepris des études approfondies sur les institutions bancaires, notamment en Hollande, où il a perfectionné ses connaissances sur les techniques monétaires en observant le fonctionnement de la Banque d'Amsterdam.

Fort de ses observations, John Law a imaginé un « plan » économico-financier qu'il détaille, en 1705, dans un mémoire intitulé *Money and Trade Considered, with a Proposal for Supplying the Nation with Money*. Dans ce texte, traduit en français en 1720 sous le titre *Considérations sur le commerce et sur l'argent,* il affirme que la prospérité d'un pays dépend avant tout de l'abondance de ses liquidités* et il explique comment une monnaie en papier, émise par l'Etat, pourrait suppléer à la pénurie d'espèces monétaires en or ou argent.

Pour John Law, la puissance et la richesse d'une nation tiennent à la puissance de son commerce.

Et puisque « *le commerce dépend du numéraire* », un accroissement de l'offre de monnaie augmentera naturellement le volume des activités. Selon lui, les difficultés économiques d'un Etat, à commencer par celles que traverse la monarchie française, s'expliquent par l'insuffisance de monnaie en circulation. A l'argent mort des stocks, mal fatal des économies engourdies, doit se substituer « *l'argent en vie* », en perpétuel mouvement.

Convaincu du bien-fondé de ces idées, John Law parvient à force de lettres, de mémoires et d'entretiens, à intéresser Philippe d'Orléans, en mars 1716. « *Avec un langage fort écossais, Law avait le rare don de s'expliquer d'une façon si nette, si claire, si intelligible, qu'il ne laissait rien à désirer pour se faire parfaitement entendre et comprendre*, raconte Saint-Simon dans ses *Mémoires*. *M. le duc d'Orléans l'aimait et le goûtait.* »

Quels arguments a pu développer John Law pour convaincre le Régent ? Qu'il existe « *trois fonds qui augmenteront toujours le dividende : les finances, la banque et le commerce, sans parler des revenus du Roy, ménagés avec intelligence, qui montent à de grandes sommes. Ce fonds n'est nécessaire que pour commencer les opérations du Système* ». Autrement dit, en invitant le souverain à s'engager, il met en place ce fameux système de Law, entré depuis dans l'histoire et simplement appelé par ses contemporains le « Système ».

La fièvre du Mississipi

Prenant modèle sur la Banque d'Angleterre (fondée en 1694), et la Banque d'Ecosse (ouverte en 1695), John Law crée, avec l'autorisation du Régent, en mai 1716, une banque privée qu'il installe rue Quincampoix, à Paris. Nommée Banque générale, elle émet des billets en papier-monnaie, convertibles en or et susceptibles d'être acceptés par tous, y compris en paiement des impôts. Ces billets sont capables de suppléer la rareté des espèces, de relancer, voire de stimuler l'économie, et donc de soulager les plus démunis, principales victimes des duretés du « siècle de Louis XIV ». Le commerce renaissant, grâce à l'oxygène du papier-monnaie, permettra en effet une meilleure circulation des biens de consommation de première nécessité, à commencer par le blé. « *Toutes les richesses du royaume entier*, affirme John Law dans *Idée générale du nouveau système* (1719), *répondent de la valeur de cette nouvelle monnaie ; tout se donnera pour elle, elle sera donnée pour tout.* » Le capital de la Banque générale est fixé à 6 millions de livres, « *composé de douze cents actions de mille écus chacune* ». Le Régent lui-même, pour inciter les souscripteurs, achète des actions de la nouvelle banque. Le succès aidant, le volume des émissions s'accroît. Mais on fabrique plus de papier-monnaie qu'il n'y a réellement d'or et d'argent en dépôt, ce qui entraîne un effet d'inflation* que le pouvoir ne pourra plus contrôler.

Dans une seconde étape, John Law fonde, en août 1717, la Compagnie de commerce de l'Occident, dont les activités doivent renforcer la puissance et le crédit de sa banque. « *Il s'agit*, précise-t-il, *d'une compagnie en laquelle les riches peuvent prêter leur argent pour l'employer dans le commerce [...]. Elle pourra donner un jour plus de dividendes aux actionnaires que l'intérêt annuel de l'argent prêté au dernier 20* [5 %], *sans que les particuliers ni l'Etat en souffrent.* »

Les lettres patentes qui entérinent la création de cette Compagnie accordent à Law le monopole du commerce de la Louisiane pour vingt-cinq ans et celui de la traite des castors au Canada, ainsi que des armes, des munitions, des vaisseaux... Le capital de la Compagnie se monte à 100 millions de livres, divisés en actions* de 500 livres. Peu à peu, elle obtient le privilège du monopole du commerce avec le Mississippi, la Chine, les Indes et le Sénégal, tête de pont de la traite des esclaves. Elle bénéficie aussi du monopole du tabac, du recouvrement du produit des fermes générales, des droits liés à la frappe des monnaies... En mai 1719, la Compagnie d'Occident devient la Compagnie des Indes.

Entre-temps, la Banque générale de John Law a été transformée, le 4 décembre 1718, en banque d'Etat, sous le nom de Banque royale. Les billets sont désormais garantis par le roi et cette transformation marque le début d'une extraordinaire fièvre de spéculation. D'abord réticent, le public se laisse peu à peu séduire par une habile propagande vantant la prospérité et les bénéfices anticipés de la Compagnie d'Occident qui lui est adossée.

Des milliers de particuliers, appartenant à toutes les classes sociales, se disputent bientôt des actions de « Mississippi », comme on les appelle dans l'étroite rue Quincampoix, également devenue le siège de la Compagnie et principal centre de l'agiotage. La rue est barrée aux deux extrémités par des grilles de fer que la garde ouvre à sept heures du matin et ferme à neuf heures du soir. Une foule énorme se presse alors dans cet étroit boyau, où toutes les maisons abritent des scribes fébriles qui tiennent registre des affaires réalisées dans la frénésie acheteuse de la spéculation. Au total, en quelques mois, plus de 600 000 actions sont émises, dont le prix dépasse jusqu'à quarante fois la valeur primitive. « *Toutes les têtes étaient tournées, et les étrangers enviaient notre bonheur* », commente alors Saint-Simon.

Le Système se trouvait à la merci d'une panique. Celle-ci se déclenche en février 1720 lorsque des ennemis de John Law, nommé Contrôleur général des finances le 5 janvier, entreprennent de revendre leurs actions et de convertir leurs billets en espèces sonnantes et trébuchantes. Les ducs de Bourbon et de Conti viennent en personne « réaliser », selon la formule consacrée, c'est-à-dire se faire rembourser leurs actions ou billets et les échanger contre de la monnaie métallique. Le prince de Conti, raconte Saint-Simon, « *y fut avec trois fourgons, qu'il ramena pleins d'argent pour le papier qu'il avait. Law n'osa refuser à ses emportements et manifester par ce refus la sécheresse de ses fonds effectifs* ».

La suite coule de source. Inquiets, les petits souscripteurs se précipitent à leur tour dans les bureaux de la banque pour revendre et échanger des billets de 10 livres. Le 22 mars 1720, une ordonnance royale interdit de s'assembler rue Quincampoix pour négocier un papier-monnaie qui perd de sa valeur. En juin, Mathieu Marais, avocat au parlement de Paris, entreprend une chronique des événements. Il note dans ses *Mémoires* que « *la place de Contrôleur général qu'avait M. Law, anglais, à qui on ne l'eût jamais dû donner, lui a été ôtée, et il a été réduit à être chef de la Banque et de la Compagnie des Indes, inventions et système de sa façon qui ruinent la France et dont la plaie durera longtemps* ». Le 3 juin, Mathieu Marais précise : « *On ne voit point d'argent : à peine trouve-t-on dix francs pour un billet de mille livres.* » Le 14 juin, il affirme : « *La disette d'argent est affreuse dans les familles. Personne n'a une pistole chez soi. Tout le monde souffre et jamais de mémoire d'homme ni d'histoire on ne s'est vu en cet état.* » Et le 3 juillet, enfin : « *Les billets perdent 35 et 40 pour cent sur la place. La Banque n'est ouverte que pour couper les gros billets. On s'y étouffe.* » Au sens propre : le 17 juillet 1720, une bousculade, rue Vivienne, aurait provoqué la mort par étouffement de plusieurs personnes (seize, selon certains témoins). « *Tout le monde est en larmes dans les rues, l'un réclame sa femme, l'autre son mari*, commente Mathieu Marais. *On ne veut point ni billets parce qu'ils sont décrédités, ni argent parce qu'il diminue tous les jours. Il ne s'est jamais vu une pareille misère, et on est surpris comment Paris subsiste.* »

Bouleversement social

Les billets de banque sont suspendus et retirés du marché, le 9 novembre. Devant l'ampleur de la catastrophe, John Law trouve refuge à Bruxelles, puis à Venise, où il meurt d'une pneumonie, le 21 mars 1729, dans un état proche de l'indigence. « *On a peine à croire ce qu'on a vu*, conclut Saint-Simon dans ses *Mémoires, et la postérité considérera comme une fable ce que nous-mêmes nous ne nous remettons que comme un songe.* » Songe à l'allure de cauchemar ! Pourtant, l'expérience de Law ne fut pas que négative. D'abord, elle contribua au désendettement de l'Etat, qui parvint à augmenter ses recettes simplement parce que Law, en créant une richesse plus mobile, a contribué à faire renaître l'agriculture et à stimuler le commerce, deux secteurs générateurs de recettes fiscales.

L'expérience accompagna ainsi les prémices économiques du « beau XVIIIe siècle ». Elle stimula l'essor du commerce outre-Atlantique (la prospérité du port de Lorient est le fruit du Système), dont le développement avait débuté dès la fin du règne de Louis XIV. Enfin, elle déclencha, dans le monde rural, un désendettement (de l'ordre de 50 %), lui-même générateur d'expansion : ce désendettement paysan résultait d'abord de la baisse de l'intérêt, puis de l'inflation, enfin des suites de la dévaluation de la monnaie métal et de la décote des billets de banque. Il faut ajouter que le Système a provoqué des transferts de biens fonciers qui ont été à l'origine d'un bond en avant de l'économie agricole. Certains réalisèrent des fortunes en quelques mois, comme des financiers du Languedoc qui acquirent de grands domaines et des châteaux grâce à la spéculation. D'autres encore, qui avaient eu la clairvoyance de vendre à temps, s'enrichirent abondamment. Dans une pièce satirique, *Cartouche ou Les Voleurs* (1721), qui eut alors un grand succès, on reconnut le duc d'Antin qui avait spéculé sur les étoffes, le maréchal d'Estrées, qui fit main basse sur le café et le chocolat, et le duc de La Force qui remplit des magasins secrets, dans le couvent des Augustins, de suif et de graisse...

Pourtant, les effets psychologiques et sociaux de la banqueroute furent importants. Ceux qui avaient presque tout vendu pour acheter des actions se retrouvèrent ruinés. Et la hiérarchie sociale en sortie bouleversée par l'argent. On vit des valets s'enrichir, des cuisiniers devenir maîtres de maison, et l'hiver 1720 est resté célèbre pour le luxe affiché et une criminalité grandissante, alors que les grands seigneurs se faisaient accapareurs, escrocs et voleurs... Enfin, l'expérience fit naître dans l'opinion une prévention contre le papier-monnaie ; la « fièvre du Mississippi » retarda la mise en place d'un système bancaire en France.

Le billet ne fait pas recette

L'expérience de Law a été bénéfique pour l'économie puisque l'inflation* qui l'accompagna permit de réduire les taux d'intérêt* et de désendetter la royauté. Mais la banqueroute a laissé le souvenir d'un désastre, engendrant dans l'opinion une prévention contre le papier-monnaie qui va durer des siècles. La Révolution, avec l'émission massive des assignats, dont la valeur s'est rapidement effondrée, a renforcé le traumatisme.

Les Français ont gardé de ces deux recours à « la planche à billets » une méfiance durable à l'égard de ces billets dont l'usage se répand moins vite que dans les autres pays européens au cours du XIXe siècle. Pourtant, jusqu'en 1914, la monnaie émise par la Banque de France, créée en 1800 par Bonaparte, est convertible à vue en métal précieux au gré du porteur, et la Banque conserve tout au long du siècle une encaisse or souvent considérable. Paradoxe : la monnaie fiduciaire (dont l'authenticité est garantie par l'Etat ou la Banque centrale*) ne s'impose vraiment qu'après 1914, mais à partir de cette époque, les billets ont « cours forcé ». C'est-à-dire qu'ils ne sont plus convertibles en métal précieux.

R. B.

La Bourse* calme le jeu

Après la faillite de Law et pour rétablir un semblant d'ordre économique, le roi favorise la création d'une Bourse[1] à Paris. Elle fut établie rue Vivienne, au palais de Nevers, par arrêt du Conseil du 24 septembre 1724.

L'arrêt du Conseil indiquait qu'elle devait être ouverte tous les jours, de dix heures à une heure de l'après-midi, *« pour y traiter des affaires de commerce, tant de l'intérieur que de l'extérieur du royaume »*. Elle avait pour mission d'assurer *« les négociations de toutes lettres de change de place en place et sur les pays étrangers, les billets au porteur ou à ordre et les autres papiers commerçables, et des marchandises et effets »*. L'article 11 stipulait que *« les femmes ne pourront entrer à la Bourse, pour quelque cause ou prétexte que ce soit »*. Et, souvenir des excès de la rue Quincampoix, l'article 13 défendait expressément *« aucun attroupement dans les rues ou environs de la Bourse, et dans toutes les autres rues de la ville et faubourgs de Paris, pour y faire aucune négociation »*...

Un tel établissement permettait aux banquiers et aux négociants de traiter eux-mêmes leurs affaires sans l'intermédiaire des courtiers* de change. Lyon (1540), Toulouse (1549), Montpellier (1691), Rouen (1566) en possédaient déjà ; par la suite, il s'en ouvrit à Bordeaux, à Marseille et à Nantes.

J. C.

La folie du chemin de fer

Tout commence le 26 février 1823, par une ordonnance royale de Louis XVIII sur la construction de la première ligne de chemin de fer française, longue de 18 kilomètres, entre Saint-Etienne et Andrézieux. Modeste, l'entreprise devait favoriser le transport de la houille dans une région en plein essor industriel. Mais, très vite, une demande nouvelle se fait sentir : ouvrir ce nouveau moyen de transport aux voyageurs, avec des lignes régulières, des tarifs et des horaires.

L'entrée de la France dans le monde des chemins de fer a été laborieuse. Les doutes pesant sur leur fiabilité et leur rentabilité, les incertitudes concernant leur statut juridique et financier, les hésitations des grands banquiers parisiens à investir dans ce projet, retardent les prises de décision. En 1833, alors que la Grande-Bretagne aligne déjà plus de 1 000 kilomètres de voies ferrées, seuls 75 kilomètres de rail sont en service. Dans les années 1830, quelques lignes courtes sont concédées, dont la ligne de Paris à

Saint-Germain-en-Laye, qui servira longtemps de vitrine.

En 1838, le vote d'une loi définissant les grands axes du futur réseau ferroviaire précipite le mouvement. Bientôt, plusieurs compagnies privées se partagent les concessions, dont deux lignes d'intérêt national : Paris-Orléans et Paris-Rouen-Le Havre-Dieppe, ainsi que deux nouvelles lignes de banlieue reliant la capitale à Versailles. C'est le premier boom ferroviaire français.

La malchance veut qu'une crise* agricole et cotonnière, en 1838, se répercute sur le système bancaire. Les deux compagnies nationales d'Orléans et de Rouen ont du mal à rassembler des capitaux. La rentabilité de 10 % promise par les promoteurs semble difficile à réaliser du fait des dépassements de devis, des craintes de baisse du trafic en période de crise et des exigences croissantes de l'administration dans le domaine de l'exploitation. Plusieurs compagnies peinent à rassembler les capitaux nécessaires. C'est ainsi que les correspondants de la banque Delamarre, qui était concessionnaire avec deux autres banquiers (Lebobe et Choquet, du Havre) de la ligne du Paris-Rouen, demandent le remboursement de leurs dépôts. Ils ne sont pas les seuls à vouloir sortir au plus vite de cet investissement, même au prix d'une perte légère.

Prises au dépourvu, les compagnies appellent l'Etat à leur secours. Certaines d'entre elles en état de détresse, comme le Strasbourg-Bâle, obtiennent des subventions ou des prêts. La compagnie du

Paris-Orléans, dont les titres perdent 40 % de leur valeur en Bourse*, obtient le prolongement à quatre-vingt-dix-neuf ans de sa concession et une garantie d'intérêt. Les promoteurs du Paris-Rouen, pour leur part, constatent leur impuissance. Le contrat est résilié. Mais, dès 1840, un nouveau Paris-Rouen est concédé, dont l'un des principaux concessionnaires est un homme d'affaire anglais, Edward Charles Blount. L'Etat, de son côté, entreprend la construction de deux lignes courtes, le Montpellier-Nîmes et celle de Valenciennes à la frontière de la Belgique. Les pouvoirs publics semblent vouloir donner un avertissement à d'éventuels concessionnaires, c'est-à-dire tenir en haleine la haute banque parisienne.

En 1840 et 1842, les investissements se ralentissent. Mais le 11 juin 1842, le Parlement vote une loi décisive qui redéfinit les orientations prises en 1838. Le tracé de neuf grandes lignes reliant Paris au reste du pays (soit environ 2 500 kilomètres pour un investissement global de 700 millions de francs) est fixé, ainsi que les modalités de construction : l'Etat prendra à sa charge les infrastructures, les compagnies investiront dans les superstructures. Quant aux concessions, elles seront accordées par un système d'adjudication portant sur leur durée. Cette loi, en clarifiant les choses, lève bien des incertitudes et relance l'activité.

L'industrie de la loco est née

Par ailleurs, les compagnies qui ont survécu à la tourmente de 1839 affichent des résultats « *inattendus* », selon l'expression de l'ingénieur Alfred Picard, dans son *Traité des chemins de fer* (1887). Ils sont brillants pour le Saint-Germain, satisfaisants et prometteurs pour le Paris-Orléans et le nouveau Paris-Rouen. Ces résultats rassurent les esprits sur la rentabilité des chemins de fer. D'autant que les premières expériences d'exploitation démontrent la capacité de l'industrie française à faire face aux besoins des compagnies. Une industrie française de la locomotive est née.

Portée par cet élan, la haute banque parisienne se convertit au rail. Elle seule est capable de se lancer dans de tels investissements. Elle élabore, à partir de 1842, de nouveaux et grands projets. Cinq ans plus tard, 33 compagnies sont sur les rangs, dont 17 se partagent l'essentiel des 4 000 kilomètres de lignes concédées entre 1842 et 1847. Mais les ingénieurs de l'Etat et ceux des compagnies établissent des prévisions de rentabilité beaucoup trop optimistes. De même, toutes les incertitudes sont levées avec une étonnante précipitation. Enfin, les règles de prudence habituelles dans les affaires se sont dangereusement assouplies dans les esprits.

L'administration des Ponts et Chaussées profite de la concurrence entre les candidats concessionnaires pour obtenir la réduction de la durée des concessions, ramenée, en moyenne, à quarante ans. De plus, elle va faire peser sur les compagnies tout ou partie du poids de la construction des infrastructures, contrairement à la loi de 1842. Elle leur impose enfin des conditions d'exploitation de plus en plus rigoureuses. Les nouveaux cahiers des charges, puis la loi de juillet 1845 et l'ordonnance de 1846 sur la police des chemins de fer donnent une définition très large de leurs responsabilités et de leurs obligations. Certaines sont très coûteuses, comme l'obligation d'assurer sur toute ligne un service minimum de voyages aller-retour quelle que soit l'intensité du trafic. En 1846, un journaliste constate que ces textes freinent le développement du rail : « *Les chemins de fer qui restent à concéder seront des entreprises désastreuses pour ceux qui s'en chargent* », affirme-t-il.

La finance monte en marche

De telles exigences ne peuvent qu'inquiéter les investisseurs et accentuer la concentration des principales lignes entre les mains des grandes banques, aux premiers rangs desquelles se trouvent la maison Rothschild et celle des frères Pereire. En avril 1846, l'économiste Léon Faucher s'inquiète de « *l'avalanche de chemins de fer* » et de « *la pression qu'elle peut exercer sur l'état du crédit* ». Une atmosphère favorable à l'explosion d'une spéculation boursière se précise peu à peu. Un chroniqueur constate que « *certaines personnes n'hésitent pas à retirer des capitaux de leur industrie pour jouer sur les actions* ou sur des promesses d'actions* ». L'action de la Compagnie du chemin de fer du Nord, dont la valeur d'émission était de 400 francs, atteint 845 francs en septembre 1845. Un premier mouvement de baisse se produit à la fin de l'année, mais l'intervention des banques en réduit les effets. Puis la baisse reprend.

Les défaillances des fournisseurs – retards et malfaçons – sont la règle générale. La métallurgie française est incapable de faire face à ses engagements et les prix de ses produits atteignent des sommets. Les déceptions ne sont pas moins importantes du côté de l'exploitation. Les lignes ouvertes assurent un trafic plus faible que prévu et les dépenses d'exploitation ont été sous-estimées.

La violente crise agraire de 1846 aggrave les effets de ces dysfonctionnements en provoquant la hausse des salaires et la réduction du trafic. En octobre 1847, le conseil d'administration de la Compagnie de Lyon à Avignon, concédée en juillet 1845, déclare forfait. Elle justifie ainsi sa décision : « *L'insuffisance des récoltes, les inquiétudes qu'elle entraîna, la rareté des capitaux, l'excès des travaux publics, les abus de la spéculation, toutes ces causes s'étaient réunies pour amener le découragement des capitalistes.* » Dans la foulée, le tronçon Bordeaux-Sète est également abandonné. En revanche, la Compagnie du chemin de fer de Paris, à Lyon, persévère.

Toutes les compagnies connaissent des difficultés, y compris les plus prestigieuses, comme la Compagnie du Nord, exploitée entre Paris, Douai et Lille depuis novembre 1846. Le 31 mai 1847, cette société, que préside le banquier James de Rothschild, demande au ministre des Travaux publics une prolongation de la durée de la concession « *équivalente au supplément de dépense que nous avons à supporter* », en raison « *des dépassements des devis et des baisses de tarifs* » imposés par l'Etat. Le refus du gouvernement affaiblira sa position dans le monde des affaires et dans l'opinion publique.

Le 30 septembre 1847, l'action du Nord est tombée à 329 francs, celle du Paris-Saint-Germain à 300 francs, après avoir atteint 800 francs en septembre 1845. Une inquiétude justifiée s'installe. Au 31 décembre 1847, les engagements financiers des compagnies s'élèvent à 1,659 milliard de francs, alors que les versements des souscripteurs de plus en plus défaillants n'atteignent que 435 millions. La crise boursière n'est que le reflet d'une méfiance de l'économie réelle face aux anticipations des marchés financiers et de la politique gouvernementale en matière de chemin de fer.

Des trains restent à quai

La crise des chemins de fer joue un rôle considérable dans la révolution de février 1848. Des chantiers ferment, les mines et la métallurgie licencient. Les ouvriers se révoltent et des grèves justifient la mise sous séquestre du Paris-Orléans et de l'Avignon-Marseille. La révolution entraîne également une débâcle boursière dont la gravité est renforcée par l'annonce, le 24 février, par le gouvernement provisoire, d'un projet de rachat de plusieurs compagnies. Le Paris-Lyon en accepte le principe. C'est chose faite le 17 août 1848. L'administration des Ponts et Chaussées poursuit les travaux et prend en main l'exploitation des lignes déjà ouvertes.

La révolution de 1848 s'accompagne d'une crise économique brutale marquée par les troubles sociaux et une forte poussée du chômage. Le rétablissement, qui se dessine dès 1849, reste limité en raison de l'affaiblissement des prix agricoles, de la pénurie de capitaux et du marasme des industries métallurgiques et minières. Tout se passe comme si une nouvelle mania ferroviaire pouvait seule redresser durablement l'activité économique. Ce sera le programme du Second Empire.

Paris s'offre un train de banlieue

Dès 1832, les banquiers Emile et Isaac Pereire en ont eu l'intuition : Paris se devait d'avoir une ligne ferroviaire, la première pour les voyageurs de la capitale et desservant la villégiature de Saint-Germain-en-Laye, lieu de promenade apprécié des Parisiens fortunés. Le montage financier, en 1834, associe les Pereire à trois autres banques, dont les Rothschild. Pour Emile Pereire, c'est un succès, comme il l'écrit, le 16 mai 1835, au directeur des Ponts et Chaussées, Alexis Legrand : « *L'intervention de la maison Rothschild dans l'entreprise du chemin de fer de Paris à Saint-Germain-en-Laye n'est pas seulement d'un grand intérêt pour cette affaire. [...] Si cette maison puissante, qui jusqu'à ce jour avait paru vouloir se borner aux affaires purement financières, vient prêter son appui à l'industrie et aux grands travaux d'utilité publique [...], je croirai avoir rendu par là un véritable service à mon pays.* » Les banquiers émettent 2 350 actions de 500 francs. La concession leur est accordée, le 9 septembre 1835, pour une ligne à deux voies (20,4 kilomètres) traversant la Seine à Asnières, Chatou et Le Pecq (par ailleurs terminus provisoire). Dans la foulée, il importe de construire une gare, point de départ d'un réseau promis à desservir le nord, l'est et le sud du pays. Ce sera la gare Saint-Lazare, la première construite à Paris en 1836, d'abord en bois, et surnommée « l'embarcadère de l'Ouest ».

L'inauguration du Paris-Saint-Germain a lieu le 26 août 1837. A la gare du Pecq, la foule se presse pour accueillir le train et sa locomotive à vapeur, qui crache fièrement un panache blanc. Le trajet a duré 29 minutes et les voitures – trois classes dont la dernière, découverte – transportent une centaine de passagers. Parmi eux, la famille royale et la reine Marie-Amélie de Bourbon. Le roi Louis-Philippe, pour sa part, a préféré la voiture à cheval.

C. G.

La railwaymania à l'anglaise

*L'aventure a débuté en Grande-Bretagne, en
1830. Mais très vite, la machine s'emballe.*

A partir de 1833, la Grande-Bretagne traverse la
phase ascendante d'un cycle économique. La reprise
industrielle est forte. Elle atteint un sommet en 1835-
1836 et la construction des chemins de fer y contribue comme un élément essentiel de la confiance
retrouvée. La Grande-Bretagne connaît ainsi son premier boom ferroviaire. Alors qu'il était difficile en
1832 ou 1833 de rassembler des capitaux, il suffit à
présent de placer une simple annonce dans un journal pour trouver des souscripteurs ! Dès le printemps
1836, le marché prend un caractère spéculatif et, en
août, les actions ferroviaires s'envolent.

Le système se grippe en octobre 1836. Des spéculateurs qui ne parviennent pas à se débarrasser de
leurs engagements provoquent une panique. En
outre, l'accès au crédit devient de plus en plus difficile. De nombreux projets ne passent pas le cap de
leur première cotation en Bourse*.

Malgré cela, la première railwaymania, témoin de
l'engouement du public, a porté ses fruits. Les lignes
autorisées en 1836 et 1837 ajoutent près de
1 600 kilomètres au réseau. Et dans les cinq ans qui
suivent, les chantiers se multiplient. Au total, la lon-
gueur des lignes passe de 1 186 kilomètres en 1830,
à 2 390 en 1840 et à 3 291 en 1843... Mais les nouvelles extensions cessent presque entièrement : cinq
en 1838 et 1839, aucune en 1840, une seule en
1841.

Puis la Grande-Bretagne renoue avec l'expansion
et une nouvelle mania ferroviaire éclate en 1844,

dans un contexte plus que favorable. Les résultats financiers des compagnies du rail sont satisfaisants et les dividendes augmentent. Résultat : les promoteurs se font plus nombreux. Ce sont des compagnies ayant déjà pignon sur rue qui veulent se développer, mais aussi de nouveaux promoteurs ou de simples spéculateurs. Tous créent des sociétés pour profiter de la hausse qui touche les actions ferroviaires. Cette surexcitation, largement irrationnelle, est à l'origine du second boom ferroviaire britannique.

De son côté, le Premier ministre Robert Peel est favorable au développement des chemins de fer. Dès 1844, le Parlement autorise la construction de 2 385 kilomètres de rail et celle de 4 300 kilomètres supplémentaires en 1845. Le capital nécessaire se chiffre à 59 millions de livres sterling, un chiffre très proche de celui du produit national. Un recours massif au marché des capitaux est donc nécessaire. La Bourse londonienne élargit ses activités vers les petits porteurs ; les Bourses locales font de même pour appeler des fonds. Des actions ferroviaires s'échangent partout en Angleterre... Une telle frénésie s'accompagne naturellement d'une forte activité spéculative, que le Board of Trade – qui joue le rôle de ministère de l'Economie – n'arrive pas à endiguer. L'inquiétude commence à gagner. Les chemins de fer n'attirent-ils pas une proportion démesurée des capitaux britanniques, aux dépens des autres secteurs d'activité ?

En octobre 1845, les vendeurs sont plus nombreux que les acheteurs. Les cours baissent. Pourtant, la mania des chemin de fer se poursuit. En 1846, le Parlement autorise la création de 7 260 kilomètres de lignes nouvelles pour un capital

de 133 millions de livres ; en 1847, l'effort porte sur
2 160 kilomètres et 39 millions de capital.

Ces chiffres sont d'autant plus paradoxaux que
l'économie britannique est entrée en récession*
avant la fin de l'année 1846. Une mauvaise récolte
a obligé à importer des blés américains, entraînant
des difficultés financières et un resserrement du crédit. La crise financière atteint son sommet à
l'automne 1847, créant une nouvelle fois la panique. Le cours des actions ferroviaires se déprécie
dès 1847 et la chute se poursuit jusqu'en 1850. Les
actions du Great Western, cotées 195 livres à la fin
1846, tombent à 58 livres au 1er janvier 1850. Cette
chute occasionne des pertes évaluées, en décembre
1849, à 180 millions de livres. L'économie britannique reste profondément déprimée jusqu'en 1850, en
particulier dans les secteurs qui dépendent des commandes ferroviaires, comme la métallurgie ou le
bâtiment. Devant la pénurie de capitaux, des industriels vont même jusqu'à demander l'arrêt des
constructions de lignes. La première exposition universelle, en 1851, organisée à la gloire de l'industrie
britannique, donne le signal de la reprise.

Au total, les manias ferroviaires des années 1840
permettent de comprendre les effets à court terme
de l'intrusion d'une technologie nouvelle dans le
système technique en place, comme ce fut le cas
avec Internet, en 2001. Dans un premier temps, le
fer est autant une idée qu'une réalité. Son avenir est
incertain. Dans un deuxième temps, les hésitations
sont levées. Pourtant, les profits espérés reposent
sur des bases fragiles et les conditions d'exploitation
sont hasardeuses. Les investissements se développent et la spéculation se greffe sur ce mouvement.
Dans un troisième temps, la gravité des imprévi-

sions techniques, organisationnelles et commerciales détruit la confiance des épargnants et entraîne
l'effondrement de la Bourse. Mais les rythmes ferroviaires et ceux de l'économie globale ne sont jamais
coordonnés.

F. C.

La prophétie de Marx

Réunis en congrès à Londres en novembre-décembre 1847, les membres de la Ligue des communistes chargent Karl Marx et Friedrich Engels de rédiger un manifeste pour exposer « *à la face du monde leurs conceptions, leurs buts et leurs tendances, et s'opposer aux fables que l'on rapporte sur le spectre communiste* ».

Publié en allemand, en janvier 1848, à la veille des événements révolutionnaires qui secouent l'Europe, le *Manifeste du parti communiste* est traduit en français dès mai 1848... Il deviendra la bible des communistes dans le monde au XXe siècle.

Dans ce *Manifeste*, qui définit les grandes lignes de ce qui est appelé le « marxisme », théorie révolutionnaire fondée sur la lutte des classes, certains passages restent d'une étonnante modernité. Karl Marx décrivait déjà, en 1848, la mondialisation* et les crises* périodiques inhérentes au système capitaliste. Extraits choisis.

« La grande industrie a créé le marché mondial »

« La découverte de l'Amérique, la circumnaviga-
tion de l'Afrique offrirent à la bourgeoisie nais-
sante un nouveau champ d'action. Les marchés
des Indes orientales et de la Chine, la colonisation
de l'Amérique, le commerce colonial, la multiplication des moyens d'échange et, en général, des
marchandises imprimèrent une impulsion, incon-
nue jusqu'alors au commerce, à la navigation, à
l'industrie. *[...]* L'ancien mode de production ne
pouvait plus satisfaire aux besoins qui croissaient
avec l'ouverture de nouveaux marchés. La manufacture prit sa place. *[...]* Mais les marchés
s'agrandissaient sans cesse : la demande croissait
toujours. La manufacture, elle aussi, devint insuffisante. Alors, la vapeur et la machine révolutionnè-
rent la production industrielle. La grande industrie
moderne supplanta la manufacture. *[...]* La grande
industrie a créé le marché mondial, préparé par la
découverte de l'Amérique. Le marché mondial
accéléra prodigieusement le développement du
commerce, de la navigation, des voies de communication. Ce développement réagit à son tour sur
la marche de l'industrie *[...]*. »

« La bourgeoisie envahit le globe entier »

« Poussée par le besoin de débouchés toujours
nouveaux, la bourgeoisie envahit le globe entier.

[...] Par l'exploitation du marché mondial, elle donne un caractère cosmopolite à la production et à la consommation de tous les pays. Au grand désespoir des réactionnaires, elle a enlevé à l'industrie sa base nationale. Les vieilles industries nationales ont été détruites et le sont encore chaque jour. Elles sont supplantées par de nouvelles industries, dont l'adoption devient une question de vie ou de mort pour toutes les nations civilisées, industries qui n'emploient plus des matières premières indigènes, mais des matières premières venues des régions les plus lointaines, et dont les produits se consomment non seulement dans le pays même, mais dans toutes les parties du globe.

A la place des anciens besoins, satisfaits par les produits nationaux, naissent des besoins nouveaux, réclamant pour leur satisfaction les produits des contrées et des climats les plus lointains. A la place de l'ancien isolement des provinces et des nations se suffisant à elles-mêmes, se développent des relations universelles, une interdépendance universelle des nations [...].

Par le rapide perfectionnement des instruments de production et l'amélioration infinie des moyens de communication, la bourgeoisie entraîne dans le courant de la civilisation jusqu'aux nations les plus barbares. Le bon marché de ses produits est la grosse artillerie qui bat en brèche toutes les murailles de Chine et contraint à la capitulation les barbares les plus opiniâtrement hostiles aux étrangers. Sous peine de mort, elle force toutes les nations à adopter le mode bourgeois de produc-

tion ; elle les force à introduire chez elle la préten-
due civilisation, c'est-à-dire à devenir bourgeoises.
En un mot, elle se façonne un monde à son image.

[...] Elle a créé d'énormes cités ; elle a prodigieusement augmenté la population des villes par
rapport à celles des campagnes. *[...]* De même
qu'elle a soumis la campagne à la ville, les pays
barbares ou demi-barbares aux pays civilisés, elle
a subordonné les peuples de paysans aux peuples
de bourgeois, l'Orient à l'Occident. »

« Des crises plus générales et plus formidables »

« La bourgeoisie a créé des forces productives
plus variées et plus colossales que toutes les géné-
rations passées prises ensemble : la subjugation
des forces de la nature, les machines, l'application
de la chimie à l'industrie et à l'agriculture, la navigation à vapeur, les chemins de fer, les télégra-
phes électriques, le défrichement de continents
entiers, la canalisation des rivières...

[...] La société bourgeoise moderne, qui a mis en
mouvement de si puissants moyens de production
et d'échange ressemble au magicien qui ne sait plus
dominer les puissances infernales qu'il a évoquées.
[...] Il suffit de mentionner les crises commerciales
qui, par leur retour périodique, menacent de plus
en plus l'existence de la société bourgeoise. Chaque
crise détruit régulièrement non seulement une
masse de produits déjà créés, mais encore une
grande partie des forces productives déjà existantes

elles-mêmes. Une épidémie qui, à toute autre époque, eût semblé une absurdité, s'abat sur la société, – l'épidémie de la surproduction. La société se trouve subitement ramenée à un état de barbarie momentanée ; on dirait qu'une famine, une guerre d'extermination lui ont coupé tous ses moyens de subsistance ; l'industrie et le commerce semblent anéantis. Et pourquoi ? Parce que la société a trop de civilisation, trop de moyens de subsistance, trop d'industrie, trop de commerce. Les forces productives dont elle dispose ne favorisent plus le régime de la propriété bourgeoise ; au contraire, elles sont devenues trop puissantes pour ce régime qui alors leur fait obstacle ; et toutes les fois que les forces productives sociales triomphent de cet obstacle, elles précipitent dans le désordre la société bourgeoise tout entière et menacent l'existence de la propriété bourgeoise. Le système bourgeois est devenu trop étroit pour contenir les richesses créées dans son sein.

Comment la bourgeoisie surmonte-t-elle ces crises ? D'un côté, en détruisant par la violence une masse de forces productives ; de l'autre, en conquérant de nouveaux marchés et en exploitant plus à fond les anciens. A quoi cela aboutit-il ? A préparer des crises plus générales et plus formidables et à diminuer les moyens de les prévenir. »

La terrible faillite de l'Union générale

On a un peu oublié aujourd'hui l'effondrement de la banque de l'Union générale à la fin du XIXe siècle, mais dans les années 1950, l'historien de l'économie Jean Bouvier faisait de cette crise* le sujet de sa thèse complémentaire[1]. Cet épisode du krach boursier de 1882 fut aussi un immense scandale politique, avec l'arrestation d'Eugène Bontoux, homme d'affaires catholique et légitimiste, rival de la maison Rothschild.

Tout commence avec l'essor de la spéculation boursière à Lyon. La prospérité des affaires, stimulées à partir de 1878 par l'ambitieux programme de travaux publics (canaux et chemins de fer) du plan Freycinet, est « *la base, au début saine et naturelle* » d'une hausse de la Bourse* sur le marché de Paris et, plus encore, de Lyon. La Bourse de Lyon, bien plus petite que celle de Paris, est aussi bien

---

1. A cette époque, les doctorants devaient soutenir, en plus de la monumentale thèse d'Etat, une thèse dite « complémentaire ». Celle de Jean Bouvier est intitulée « Etudes sur le krach de l'Union générale, 1878-1885 », PUF, 1960.

plus spéculative, car on y pratique davantage
d'opérations à terme qu'au comptant. Une vague
de spéculations gagne toutes les classes sociales de
la ville. Cet activisme s'accompagne d'une floraison d'affaires nouvelles. Des banques se créent,
comme la Banque de Lyon et de la Loire, fondée
en avril 1881 dans la capitale rhodanienne par le
député républicain Charles Savary, avec un capital
de 25 millions de francs, rapidement doublé. Cette
banque d'affaires ardente, qui attire les déposants
par des intérêts élevés, entre bientôt en rivalité
avec une banque créée trois ans plus tôt à Paris :
l'Union générale d'Eugène Bontoux.

Ingénieur polytechnicien, Eugène Bontoux est
passé par les Ponts et Chaussées. Il a travaillé en
Autriche dans les chemins de fer, d'abord pour
une société des Pereire, puis pour la puissante
compagnie de la Südbahn appartenant aux
Rothschild, dont il est devenu directeur général. A
l'époque, il se constitue dans la région lyonnaise
un réseau d'agents de change et de banquiers, qui
lui permet de placer les titres de sociétés autrichiennes et hongroises, et d'amasser ainsi une
belle fortune. Il rêve de promouvoir de grandes
entreprises capitalistes dans l'Europe du Sud-Est,
ce qui lui vaut d'être qualifié par l'un des dirigeants du Crédit Lyonnais, de « *poète en industrie* ». A 58 ans, Bontoux quitte la Südbahn pour
entrer dans l'équipe qui crée, en mai 1878, l'Union
générale, au capital de 25 millions de francs. Il
devient aussitôt le président de cette banque

d'affaires, qui a son siège social à Paris et trois succursales, à Lyon, à Marseille et à Rome.

Dès ses débuts, l'Union générale apparaît comme un établissement financier différent. Certes elle se livre aux mêmes opérations que les autres et fait appel, pour la souscription de son capital et ses dépôts, à toutes les classes sociales, mais elle s'appuie plus particulièrement sur les milieux catholiques et conservateurs. Bontoux lui-même est issu d'une famille de magistrats catholiques très attachés à la monarchie légitime. Aussi l'Union générale compte-t-elle, parmi ses action-naires et déposants, nombre de membres du clergé, appartenant à tous les degrés de la hié-rarchie catholique, et de nobles liés à la royauté – aussi bien de grands noms de l'aristocratie que de simples hobereaux.

Profitant de l'euphorie qui règne à la Bourse, l'Union générale accroît rapidement ses ressour-ces. Dès janvier 1879, son capital est porté à 50 millions de francs, les actions* nouvelles étant émises avec une prime de 20 francs, ce qui dégage une réserve de 1 million. En janvier 1881, une seconde augmentation de capital, avec une prime de 175 francs, porte le capital à 100 millions de francs et la réserve à 18,5 millions. La banque réussit à drainer des dépôts considérables, qu'ils soient à vue (les fonds peuvent être retirés à tout instant) ou à échéance (les fonds ne peuvent être retirés qu'à terme). Leur montant passe de 22 mil-lions, à la fin de 1878, à 110 millions en avril 1881 : c'est à peu près le tiers des dépôts du Crédit Lyonnais, créé quinze ans plus tôt et qui dispose d'agences bien plus nombreuses. En trois ans, l'Union générale est donc devenue un établissement important et la Banque de France lui accorde sa confiance, comme le note l'inspecteur des succursales dans son rapport de juin 1881 : « *L'Union générale présente généralement du bon papier. Elle est très en faveur à Lyon, où elle a un groupe de clients très riches, prêts à la suivre dans toutes ses affaires.* »

Un gros pari financier

De fait, l'Union générale se lance dans de très grosses affaires, prenant des participations financières et industrielles dans de nombreuses entreprises en France et à l'étranger (Italie, Russie, Brésil). Eugène Bontoux veut en faire l'instrument de la réalisation de ses rêves avec, entre autres grands projets, la construction de voies ferrées reliant Vienne à Constantinople.

Dans ce but, l'Union générale ouvre deux banques filiales à Vienne (en 1880) et à Budapest (en 1881), pour rassembler et contrôler les intérêts du groupe Bontoux dans la région. Ce groupe financier se charge de réaliser en Autriche la concentration de compagnies charbonnières et d'entreprises sidérurgiques. Et en mars 1881, il obtient la concession de tout le réseau des chemins de fer serbes. A charge pour lui de construire puis d'exploiter les lignes, mais avant tout de placer dans sa clientèle un gros emprunt serbe de 100 millions de francs qu'il « prend ferme », achetant la totalité des titres. Bontoux voudrait aussi obtenir la concession des lignes permettant de joindre le futur réseau serbe à la Bulgarie et à la Turquie, et celle d'une banque nationale serbe. De ces affaires fort sérieuses, réalisées grâce à l'appui du gouvernement d'Autriche-Hongrie, l'Union générale peut espérer tirer de gros profits. Mais elles présentent deux risques.

Bontoux se fait des ennemis

D'abord, en intervenant aussi vigoureusement dans les luttes pour la construction de voies ferrées dans les Balkans, Bontoux se heurte à d'autres groupes déjà bien établis dans la région, notamment la Staatsbahn, une puissante compagnie de chemins de fer franco-autrichienne. Au nombre de ses administrateurs, la Staatsbahn compte le président du Crédit Lyonnais, Henri Germain, des membres de la Haute Banque protestante de Paris et des représentants de la Banque de Paris et des Pays-Bas. L'Union générale se heurte aussi à la maison Rothschild (qui voyait d'un mauvais œil les initiatives de son ancien employé), ou encore à la Banque de Lyon et de la Loire, qui voudrait obtenir la concession d'une banque maritime de crédit à Trieste – où Bontoux contrôle déjà une compagnie de navigation... L'Union générale s'est ainsi fait de nombreux ennemis.

De plus, ces grandes affaires, avant de rapporter de juteux profits, exigent beaucoup de capitaux. L'Union générale se voit donc dans l'obligation d'élargir ses bases financières, ce que Bontoux espère réaliser grâce à la hausse de plus en plus rapide du cours de ses actions qui passe de 1 250 francs, en mars 1881, à 2 385 francs, le 16 octobre (pour culminer à 3 040 francs, le 14 décembre 1881). Début novembre, Bontoux annonce que sa banque va procéder à une augmentation de capital de 100 à 150 millions, en émettant de nouvelles actions à 850 francs, avec une prime de 350 francs qui doublera la réserve. L'opération doit se faire en janvier 1882... Mais à ce moment-là, un krach boursier aura éclaté, rendant impossible un tel appel au marché.

Dès 1881, en effet, la tension sur le marché de l'argent se manifeste par deux hausses du taux d'escompte de la Banque de France (relevé de 3,5 % à 4 % le 25 août, et à 5 % le 20 octobre) et divers signes montrent les hésitations d'un marché surchargé de valeurs nouvelles. La rupture se produit peu après, à Lyon, quand on apprend que Charles Savary s'est vu refuser la concession de sa banque maritime de crédit à Trieste. Les actions de la Banque de Lyon et de la Loire s'effondrent, entraînant la chute générale de la cote. Très vite, le séisme se répercute à Paris. En janvier 1882, les actions de la Compagnie du canal de Suez passent ainsi de 3 040 francs, le 5, à 2 950 francs, le 14, pour finir à 2 000 francs à la fin du mois. L'action de l'Union générale, qui résiste d'abord, s'effondre le 19 janvier 1882 à Paris. Le 20, elle ne cote plus que 1 200 francs ; elle en vaudra à peine 500, dix jours plus tard.

Pour une entreprise industrielle ou commerciale, la chute du cours de ses actions est grave, mais pas mortelle. Pour une banque, c'est souvent le signal du *run**, la panique des déposants qui se précipitent dans les guichets pour récupérer leur argent. C'est ce qui arrive à l'Union générale. Le 19 janvier, la banque commence par rembourser à guichets ouverts, exigeant seulement trois jours de délai pour les retraits de plus de 10 000 francs. Pour faire face, l'Union générale a reçu une aide de 18 millions de francs, apportée par un « consortium » de banques et de banquiers, parmi lesquels la maison Rothschild qui a prêté, à elle seule, 10 millions. Mais une fois ce crédit épuisé, le consortium refuse toute aide supplémentaire, et la banque n'obtient aucun secours de sa filiale de Vienne. Faute de pouvoir continuer à payer ses déposants, elle ferme ses portes le 28 janvier 1882, avant d'être officiellement déclarée en faillite le 2 février. Eugène Bontoux a été arrêté la veille.

Par la suite, les dirigeants de l'Union générale, en particulier Bontoux, en 1888, ont soutenu que la banque aurait pu être sauvée, qu'elle avait été assassinée en Bourse par des groupes financiers hostiles qui jouaient à la baisse sur ses actions, et surtout par une conspiration de banquiers juifs allemands. L'Union générale avait effectivement des rivaux et sa disparition n'a pu que les satisfaire. Mais rien dans les archives ne vient étayer la thèse d'une action concertée destinée à l'abattre, ni celle d'un complot organisé par Rothschild. D'ailleurs, celui-ci n'a-t-il pas pris une large part dans le consortium qui, en janvier 1882, tente vainement de secourir l'Union générale ? Quant au Crédit Lyonnais, s'il a brutalement arrêté ses reports[1] à cette date, ce n'est pas pour abattre l'Union générale, mais parce que le souci de sa propre sauvegarde le pousse à accroître ses liquidités*. Rien ne vient non plus étayer la thèse d'un assassinat financier, orchestré par des républicains et des francs-maçons voulant se débarrasser d'une banque catholique et légitimiste.

Des falsifications en prime

En réalité, la chute de l'Union générale est due à ses faiblesses internes : cette banque, déjà fragile avant le krach, s'est effondrée tout naturellement sous l'impact du séisme boursier. Sa politique aventureuse l'avait contrainte à de lourdes immobilisations d'argent et elle manquait de liquidités pour faire face rapidement à des demandes importantes de remboursement. Sa gestion financière avait été imprudente, entachée de nombreuses irrégularités. Ainsi, son capital était plus réduit qu'il n'y paraissait. Elle n'avait appelé que le quart

---

1. Les reports sont des crédits faits aux spéculateurs.

seulement du montant des actions émises jusqu'en 1881 – ce qui était fréquent à l'époque – et son capital « réel » était donc de 25 millions de francs pour un capital « nominal » de 100 millions. Par la suite, elle n'a pas demandé à ses actionnaires de compléter leurs versements, ce que faisaient habituellement les sociétés ayant besoin d'argent. Surtout, ce qui achevait de fragiliser l'édifice, c'est que la banque détenait une partie de ses propres actions (plus de 10 000 en 1881) – et ses acquisitions n'ont fait que s'amplifier ultérieurement. Elle les achetait à terme pour soutenir leur cours et tentait de les revendre discrètement au comptant sur le marché de la coulisse. Que survienne une baisse du cours et cette spéculation devient désastreuse, la banque finissant par réaliser à n'importe quel prix ses propres actions, accentuant le processus baissier.

Ajoutons à ce tableau quelques falsifications comptables et l'avenir de l'Union générale ne pouvait qu'être compromis... En définitive, le krach boursier est la conséquence naturelle des mécanismes du marché. Dès lors que la confiance, qui soutenait les spéculations, a fait place à la panique, ce krach a entraîné la mort des banques les plus vulnérables, alors que d'autres plus prudentes, comme le Crédit Lyonnais, ont laissé passer l'orage. La polémique sur les causes de l'effondrement de l'Union générale a été largement exploitée par une droite catholique et monarchiste imputant aux Rothschild ce désastre financier. Elle a nourri la poussée d'un antisémitisme qui culminera, une douzaine d'années plus tard, avec l'affaire Dreyfus.

Le krach de 1882 a été suivi par trois ou quatre ans de marasme. Des difficultés ont touché la région lyonnaise, qui a vu disparaître nombre de ses banques et de ses intermédiaires financiers, et l'ensemble de la France. Elles sont dues à la frilosité des grandes banques de dépôts, qui montrent désormais une forte aversion pour tout risque dû à des immobilisations de capitaux et, en particulier, pour tout engagement industriel. Le Crédit Lyonnais donna l'exemple, en adoptant la doctrine d'Henri Germain, qui interdit à sa banque d'aider les entrepreneurs en leur faisant des avances directes, en participant à leur capital, ou même en prenant ferme leurs émissions de titres...

L'argent selon Zola

Soucieux de véracité, Emile Zola s'est largement inspiré du krach de l'Union générale, pour son roman *L'Argent*, dix-huitième volume des *Rougon-Macquart* publié en 1891, en plein scandale de Panamá. Le monde de la finance et ses spéculations n'y ont pas bonne presse et la Banque universelle s'impose très vite comme un piège à gogos : « *Il faut l'espoir d'un gain considérable, d'un coup de loterie qui décuple la mise de fonds* », proclame son fondateur, l'homme d'affaires Saccard, dans lequel beaucoup ont cru reconnaître Eugène Bontoux. En cas de faillite qui pousserait au désespoir les petits investisseurs, le banquier se dédouane : « *Les risques courus sont volontaires, répartis sur un nombre infini de personnes, inégaux et limités selon la fortune et l'audace de chacun. On perd, mais on gagne, on espère un bon numéro, mais on doit s'attendre toujours à en tirer un mauvais...* » Pareille affaire n'est point honnête et pour avoir transposé son roman sous le Second Empire, Zola démonte tous les mécanismes d'un affairisme qui aura fait les heurs et les malheurs de la IIIe République.

C. G.

A bas les gros !

Les Français ne sont pas pauvres, mais ils détestent les riches. Leur amour de l'égalité les mobilise bien moins en faveur de ceux qui sont en dessous que contre ceux qui sont au-dessus.

Une des premières expressions historiques de cet égalitarisme a été le « sans-culottisme », au cours de la Révolution française. Emblématiser le pantalon contre le port de la culotte – forcément « dorée » – c'était s'affirmer non seulement contre la noblesse, mais contre l'ensemble des couches supérieures de l'ancien tiers état. On se tutoie, on s'appelle citoyen, on ne supporte pas l'orgueil de ceux qui portent des bas de soie. Les aristocrates sont les premiers visés par la vindicte sans-culotte : « *La classe des citoyens sur lesquels on devrait prendre le milliard qu'on doit lever sur toute la république* », dit un orateur populaire de 1793, « *ce sont tous les accapareurs [...], tous les gens de chicane et tous ceux qui ont quelque chose.* »

Au XIXe siècle, on changea de vocabulaire, mais la dénonciation du riche devint une tradition nationale. Sous la Commune de Paris, en 1871, le chansonnier Jean-Baptiste Clément tenta d'opposer « *les rouges et les pâles* ». Les « *rouges* » ? « *Des hommes de mœurs douces et paisibles, qui se mettent au service de l'humanité quand les affaires de ce monde sont embrouillées et qui s'en reviennent sans orgueil et sans ambition reprendre le marteau, la plume ou la charrue. Ils s'habillent comme vous : ils portent une limousine ou un manteau de gros drap quand il fait froid, une simple cotte ou une vareuse quand il fait chaud ; ils habitent comme tout le monde, n'importe où ; ils vivent comme ils peuvent et mangent parce qu'il faut vivre.* » Les « *pâles* » ? « *Des hommes de mœurs frivoles et tapageuses, qui intriguent, cumulent les emplois et embrouillent les affaires de ce monde. Pétris d'orgueil et d'ambition, ils se drapent dans leur infamie et font la roue sur les coussins moelleux des voitures armoriées qui les transportent de la cour d'assises au bagne du tripot. Ils ne s'habillent point parce que les mœurs et la température l'exigent, ils se costument pour vous éblouir et vous faire croire qu'ils ne sont pas de chair et d'os comme vous.* »

L'expression les « *pâles* » n'a pas fait fortune ; on lui préféra les « *gros* ». La littérature populaire, ouvrière, socialiste, puis communiste, s'est plu à cette dualité maigres/gros, datant d'une époque où tout le monde ne mangeait pas à sa faim et où le ventre focalisait les signes tangibles de la lutte des classes : le riche est gros, parce qu'il s'empiffre ! La vogue des restaurants que connaît le XIXe siècle accrédite l'image des gros poupards, des pleins de soupe, des voraces, qui fréquentent les bons endroits où l'on « *s'en fourre jusque-là* »...

Dans le discours démocratique, la valorisation du mot « *petit* » est antagonique de « *grand* », mais plus encore de « *gros* ». L'historien Albert Thibaudet a montré l'affection des radicaux pour le terme de « *petit* » : petit commerçant, petit exploitant, petit détaillant, *Petit Parisien*, *Petit Dauphinois*, petites (et moyennes) entreprises... C'est que la France radicale, qui fut une bonne partie de la France sous la IIIe République, ne préconisait pas la défense de l'ouvrier, du prolétaire, mais de ce petit propriétaire qui était l'idéal social de la Révolution elle-même.

Pour unir des radicaux socialistes qui exprimaient l'imaginaire des classes moyennes à des socialistes, voire – pendant le Front populaire – à des communistes, il fallait bien désigner un ennemi commun. La trouvaille du radical Daladier, reprise par le communiste Thorez, fut d'expliquer qu'il y avait d'un côté l'immense peuple de France, et, de l'autre, les « *deux cents familles* » qui possédaient tout, qui dirigeaient tout, et qui poussaient les classes populaires au désespoir.

« *Les rois de l'époque* »

Au XIXe siècle, cette bipolarité peuple/gros avait largement instruit l'antisémitisme, les Juifs étant considérés par certains publicistes comme les « *rois de l'époque* », selon l'expression du fouriériste Alphonse Toussenel, auteur de *Les Juifs, rois de l'époque – Histoire de la féodalité financière*, publié en 1847 et qui inspira plus tard Edouard Drumont. Pour Toussenel, « *Juif* » et « *financier* » étaient deux termes synonymes : « *J'appelle, comme le peuple, de ce nom méprisé de Juif, tout trafiquant d'espèces, tout parasite improductif, vivant de la substance et du travail d'autrui. Juif, trafiquant, usurier, sont pour moi synonymes.* » Dans sa confusion, l'auteur appelait aussi « *Juif* » le banquier protestant.

Quarante ans plus tard, Drumont précisa la cible et dénonça le pouvoir occulte de la finance juive employée à dominer la France chrétienne. Le nom de Rothschild passa en proverbe. Si l'on disait déjà au XVIIe siècle « *riche comme un Juif* », on personnalisa aux XIXe et XXe siècles la locution « *riche comme Rothschild* ». Les mouvements populistes et nationalistes, désireux d'unir le peuple, trouvèrent dans la richesse juive l'ennemi capable de rassembler les catholiques et les libres-penseurs, les ouvriers et les bourgeois, les citadins et les culs-terreux.

La presse syndicale, communiste ou gauchiste, du XXe siècle n'a cessé de représenter le patron sous une forme stéréotypée. Au ventre proéminent hérité du siècle précédent, elle a ajouté un nouvel attribut : le cigare. A l'homme-au-couteau-entre-les-dents, symbolisant le bolchevik, s'est opposé plus durablement l'homme-au-cigare-entre-les-dents, figurant le chef d'entreprise ou le banquier.

Relayant, modernisant le vieil antagonisme entre petits et gros, la lutte des classes des marxistes inspirait une continuité dans la détestation d'une minorité de profiteurs qu'il suffirait de réduire pour que l'idée de bonheur refleurisse dans les cités. Le programme de l'extrême gauche porte toujours la marque de cette illusion, que tout irait mieux si l'on faisait payer les riches. L'inspiration en est moins dans *Le Capital* de Marx que dans les colonnes du *Père Duchesne*, journal paru sous la Révolution. L'idéal n'est pas celui de la croissance*, mais du partage.

La triste histoire de Kondratiev

Décembre 1930. L'économiste russe Nikolaï Kondratiev, fondateur de l'Institut de conjoncture, est impliqué, au milieu d'une fournée de prétendus saboteurs, dans l'un des premiers procès de Moscou. Son crime ? Avoir observé que le capitalisme* reprend son expansion avec chaque crise*, en contradiction avec la théorie marxiste d'un système forcément confronté à des convulsions de plus en plus graves, jusqu'à la crise finale...

Dénoncée par Trotsky, l'analyse de Kondratiev est qualifiée par l'Encyclopédie officielle soviétique de 1929 de théorie « *erronée et réactionnaire* ». Jugé pour... « *kondratiévisme* », son auteur est condamné au travail forcé. Il est éliminé peu après, vraisemblablement en 1938 pendant les grandes purges. Sa théorie, en revanche, lui survivra jusqu'à nos jours, apportant aux crises récurrentes du capitalisme un éclairage particulier. Mais de quoi s'agit-il ? Réponse en quelques points.

Le bouc émissaire du socialisme

Nikolaï Kondratiev, né en 1892 dans une famille paysanne, a étudié l'économie à Saint-Pétersbourg où il adhère également au parti social-révolutionnaire, plus favorable à la réforme agraire qu'à la classe ouvrière. Après la révolution de février 1917, Kondratiev devient l'adjoint du ministre chargé des problèmes de ravitaillement dans le gouvernement Kerenski. Puis, il se rallie aux bolcheviks lorsqu'ils prennent le pouvoir en octobre. Membre de l'Académie agricole Pierre-le-Grand en 1919, Kondratiev dirige à partir de 1920 l'Institut de conjoncture avant de publier, en 1926, un ouvrage intitulé *Les Vagues longues de la conjoncture*, qui va bientôt lui attirer les foudres de Staline, devenu dirigeant suprême de l'URSS.

En effet, Kondratiev se fonde sur l'évolution des prix et de la production depuis 1790 en Angleterre, en France, en Allemagne et aux Etats-Unis pour mettre en lumière la succession de cycles capitalistes d'une durée moyenne de cinquante ans, alternant embellies et dépressions*. Les phases d'embellie ou d'expansion (phases A) coïncident avec « *l'application industrielle massive des inventions de la période précédente* » ; celles de dépression (phases B) avec l'épuisement des industries jusque-là motrices, avant qu'un nouveau cycle commence « *dans des conditions historiques concrètes nouvelles* ».

A l'heure où les mots d'ordre « *collectivisation sans limites* », « *élimination des koulaks* [paysans prétendus riches] *en tant que classe* » et « *industrialisation à toute vapeur* », lancés par Staline en octobre 1929, provoquent une forte résistance dans les campagnes et une désorganisation de la production, la théorie de Kondratiev tombe plus que mal. Elle intervient alors que se multiplient les interrogations et critiques de tous ceux qui souhaitaient poursuivre la consolidation économique engagée depuis l'adoption de la Nouvelle politique économique (NEP) par Lénine en 1921. Pour faire taire ces critiques et imposer ses choix, Staline est décidé à trouver des coupables, à désigner des boucs émissaires et à écraser toute velléité de résistance. Kondratiev va le payer cher, victime expiatoire d'un complot imaginaire de la terreur stalinienne qui s'amorce.

Les initiateurs de la doctrine libérale excluaient la perspective des crises et des dépressions. Pour le philosophe et économiste écossais Adam Smith, dont le traité *Recherche sur la nature et les causes de la richesse des nations* date de 1776, la disparition des contraintes étatiques au profit de la seule loi du marché, c'est-à-dire le respect des trois libertés fondamentales – liberté d'entreprise, liberté des échanges et liberté d'emploi –, devait conduire automatiquement à l'utilisation de toutes les forces productives disponibles et sécréter une croissance* forte, continue, assurant en permanence le plein emploi. Quelques années plus tard, le grand théoricien français du libéralisme* Jean-

Baptiste Say affirmait que toute offre crée sa propre demande (c'est la « loi des débouchés »), ce qui permettait d'exclure tout risque de surproduction générale.

L'euphorie contrariée

En dépit de ce bel optimisme initial, il a bien fallu reconnaître que des dépressions et des crises affectaient le système capitaliste. En 1862, le Français Clément Juglar, qui avait été témoin de la crise de 1848, publiait un ouvrage au titre explicite : *Des crises commerciales et de leur retour périodique en France, en Angleterre et aux Etats-Unis*. Il y décrivait des cycles courts d'une durée de sept à onze ans, marqués par la succession de quatre phases : une période d'expansion, une crise économique, une dépression et une reprise. Le moment clé de ce cycle court, appelé aussi « cycle des affaires », est la crise économique, le « point de retournement » de la conjoncture où « *tout ce qui montait descend (l'investissement, la production, la consommation, les prix) et tout ce qui descendait monte (le chômage, la misère, les faillites d'entreprises)* ».

Si le processus de crise est presque toujours le même, la gravité, la durée et l'extension peuvent varier fortement. La crise capitaliste se différencie nettement de la crise traditionnelle, dite « d'Ancien Régime ». Crise de subsistances provoquée par des accidents climatiques, celle-ci entraînait famines, épidémies, surmortalité et pouvait déboucher sur des émeutes (la prise de la Bastille coïncida avec la flambée du prix des céréales), mais elle restait généralement confinée à une région ou à un pays et n'obéissait à aucune périodicité. Récurrente, la crise capitaliste naît le plus souvent d'un accident financier, éclatement d'une bulle boursière, faillite de banques imprudentes, surendettement d'entreprises. Elle se traduit par une baisse des prix et des valeurs, un laminage des profits, une paralysie du crédit, une chute brutale de la confiance, un arrêt de l'investissement et un tassement de la consommation ; le marasme économique entraîne l'effondrement des entreprises les moins solides, une poussée du chômage et, souvent, un ébranlement des pouvoirs en place rendus responsables des difficultés.

Des cycles de cinquante ans

Nikolaï Kondratiev, pour sa part, a formulé une description des cycles économiques, au rythme de vagues longues de cinquante à soixante ans, qui reste un outil de référence. Elles se décomposent en deux phases de durée à peu près équivalente : une phase A de montée lente des prix et une phase B de baisse lente. La phase A est une longue période d'expansion, marquée par l'essor des investissements et de la production, par une forte création d'entreprises et d'emplois, mais aussi par l'augmentation des

profits des employeurs et des salaires des travailleurs. Nourrie par le dynamisme de l'investissement et la demande des consommateurs, la
croissance économique s'accompagne donc d'un
climat de confiance dans l'avenir.

La phase B, au contraire, est marquée par une
longue dépression, sur fond de baisse des prix, des
profits, des salaires et des emplois. Les entreprises
les plus fragiles disparaissent, l'investissement
recule et la consommation subit un tassement plus
ou moins fort. La croissance reste positive, mais
elle est beaucoup plus faible qu'en phase A et la
confiance cède la place à la morosité ou à l'inquiétude.

La destruction créatrice

Complétés et enrichis par de nombreux économistes, les travaux pionniers de Juglar et de
Kondratiev permettent de repérer et de comprendre les variations de conjoncture dans le système
capitaliste, depuis le début du XIXe siècle jusqu'à nos
jours (cf. graphique p. 84-85). Leurs observations
ont été à la fois confirmées, discutées et précisées.
En hommage posthume, dans tous les manuels
d'économie, le « cycle long » est aujourd'hui appelé
« cycle de Kondratiev », comme le « cycle court »
porte le nom de « cycle de Juglar ».

L'économiste viennois Joseph Schumpeter, qui a
fui le nazisme en s'installant à Harvard dès le
début des années 1930, reprend les travaux de son

contemporain Kondratiev et propose une explication rationnelle de ces oscillations de la conjoncture. Dans ses deux œuvres majeures, *Les Cycles des affaires*, publié en 1939, suivi de *Capitalisme, socialisme et démocratie*, en 1942, il montre que l'alternance entre phase de croissance et phase de dépression est étroitement liée aux rythmes du progrès technique qui n'est pas continu et linéaire, mais procède par à-coups. La phase d'expansion repose sur l'exploitation et la diffusion d'une « *grappe d'innovations* » qui stimule l'investissement et l'offre ; elle s'arrête lorsque les secteurs moteurs reposant sur ces innovations se heurtent à une saturation du marché entraînant la formation de stocks d'invendus.

La baisse des prix et des profits au cours de la phase B pousse les entreprises à abandonner ces secteurs saturés et à rechercher de nouveaux procédés plus performants ou de nouveaux produits.

Ainsi se réalise ce que Schumpeter appelle « *la destruction créatrice qui révolutionne sans cesse de l'intérieur la structure économique* », et qui se traduit par un renouvellement des gammes de production et une reprise de la croissance.

Quant aux crises économiques, comme l'observait Juglar, elle reviennent en moyenne une fois par décennie. Les plus violentes coïncident généralement avec un retournement du cycle long comme celle de 1848, de 1873 et de 1929. Celle de 1848 combine des disettes, voire des famines, comme en Irlande, une chute brutale de l'activité industrielle et une forte poussée de chômage. De

plus, elle débouche sur des soulèvements révolutionnaires à travers l'Europe. La crise de 1873, qui,
en Europe, fait suite à une forte spéculation immobilière et marque un retour quasi général au protectionnisme*, suscite des faillites de banques trop
engagées dans des prêts hypothécaires, une chute
des cours de Bourse et touche aussi fortement les
Etats-Unis. La crise de 1929, reste, à ce jour,
paroxystique par sa durée (près de trois ans), par
son ampleur (recul industriel de 40 %, effondrement du commerce mondial, marée noire du chômage), par son extension à travers le monde
(seule l'URSS, isolée, n'est pas touchée) et par ses
conséquences politiques (ébranlement des démocraties, surgissement de dictatures et même de
totalitarismes).

Qu'en pensent les libéraux ?

S'ils ont dû reconnaître l'existence de crises et
de dépressions, les libéraux ont conclu qu'elles
étaient inhérentes au système capitaliste et qu'elles
lui sont nécessaires. Ils ont su trouver rapidement
les arguments permettant de présenter les crises et
les périodes de dépression comme des « *dérange-
ments temporaires* » se résolvant d'eux-mêmes
grâce aux mécanismes autorégulateurs du marché.
   Le premier des mécanismes correcteurs qu'ils
ont mis en évidence tient à la flexibilité des taux
d'intérêt*. Les taux augmentent pendant la phase
de croissance parce que le dynamisme des affaires

induit une forte demande de monnaie, alors que l'offre monétaire stagne. La hausse des prix, et donc des coûts, décourage en effet la recherche et la production de métaux précieux, en particulier de l'or dont le prix monétaire reste fixe (de 1815 à 1914, la livre sterling, monnaie dominante, vaut 7,32 grammes d'or). A l'inverse, en période de dépression, la chute de l'investissement, le ralentissement des affaires et la baisse des prix induisent automatiquement une réduction de la demande de monnaie et donc une baisse des taux d'intérêt.

De plus, la conjoncture favorise une relance des activités de prospection de l'or (la ruée vers l'or californien date de la fin des années 1840 et la découverte et l'exploitation des mines d'or d'Afrique du Sud de la fin des années 1880). Les libéraux affirment que la détente du loyer de l'argent doit conduire automatiquement au retour de la confiance chez les investisseurs et à une reprise nourrie par les nouveaux apports de métaux précieux.

Un raisonnement similaire s'applique au deuxième mécanisme autorégulateur : la flexibilité des salaires. Croissants en période de prospérité et de plein emploi, les salaires s'orientent à la baisse en phase dépressive, par suite de la concurrence d'une « armée de réserve » formée de chômeurs prêts à accepter des baisses de rémunérations pour retrouver un travail. Cette baisse est douloureuse mais salutaire : elle doit inciter un jour ou l'autre les investisseurs à embaucher de nouveau.

Le troisième mécanisme correcteur est la flexibilité du coût moyen de production. Les crises et dépressions éliminent en effet les entreprises les moins performantes, les canards boiteux. Elles assainissent le tissu économique et accélèrent le mouvement de concentration au profit des entreprises les plus rentables et les plus dynamiques. Ce renforcement structurel favorise là aussi à terme une reprise de la croissance.

Dernier mécanisme correcteur : les progrès de la productivité et de l'innovation. En phase A, les entreprises cherchent d'abord à accroître leur capacité de production. En phase B, la baisse des prix et des profits les contraint à tout faire pour rester compétitives. La productivité devient l'impératif premier, ce qui peut les conduire à réduire leur personnel, mais aussi à obtenir un meilleur rendement au travers de nouvelles techniques plus performantes, d'une organisation interne plus efficace et d'un renouvellement de leur gamme. Lorsque ces quatre mécanismes ont produit tous leurs effets, les entrepreneurs reprennent confiance, l'investissement redémarre et la croissance repart.

Farouches défenseurs des vertus du marché, les libéraux rejettent toute intervention contracyclique de l'Etat, qui ne pourrait que bloquer ou retarder les assainissements nécessaires. Une aide aux entreprises menacées de faillites ne peut que freiner l'assainissement structurel. Une politique de relance par accroissement des dépenses budgétaires ne peut que conduire au déficit, imposer le recours aux emprunts publics et ralentir la baisse des taux d'intérêt. L'Etat doit donc se cantonner dans une stricte neutralité économique.

Les seules attitudes encouragées par les libéraux concernent tout ce qui peut favoriser le retour de la confiance. L'Etat doit pour cela donner l'exemple de la bonne gestion en compensant la chute inévitable des recettes fiscales par une compression de ses dépenses pour maintenir l'équilibre budgétaire. Il doit affirmer sa volonté de maintenir la parité monétaire pour ne pas susciter un sentiment d'insécurité générateur de fuite des capitaux. Il doit refuser la tentation du protectionnisme et encourager les entreprises à renforcer leur compétitivité pour faire face à la « contrainte externe ». Les libéraux condamnent aussi toute tentation de venir en aide aux victimes des crises et dépressions.

Jusqu'à la Grande Dépression, la doctrine libérale reste dominante, la liberté d'entreprise inviolée et l'idée d'une intervention régulatrice de l'Etat un tabou. Amorcée par Franklin Roosevelt lors du New Deal, la volonté étatique de lutter contre les variations conjoncturelles et de « *lisser la courbe* » de la croissance ne s'impose qu'après la Seconde Guerre mondiale, par suite de la crainte générale de retomber dans le drame des années 1930.

Les cycles, comment ça marche ?

Tout sauf linéaire, la croissance* capitaliste est affectée par des fluctuations depuis la fin du XVIIIe siècle. Deux économistes, Clément Juglar et Nikolaï Kondratiev, les ont analysées.

Le cycle long

1815 : date de retournement du cycle long

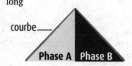

Le cycle long (ou cycle de Kondratiev), d'une durée moyenne de cinquante à soixante ans, alterne une période d'expansion, la **phase A** – nourrie par l'essor des investissements, de la production, des profits et des salaires – et une période de dépression*, la **phase B**, marquée par l'épuisement des industries jusque-là motrices. La phase d'expansion s'accompagne d'une hausse lente des prix nominaux et la phase de dépression d'une baisse lente de ces mêmes prix.

Le cycle court

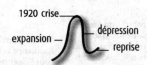

Le cycle court (ou cycle de Juglar), d'une durée de sept à onze ans, est marquée par la succession de quatre phases : une période d'**expansion**, une crise* économique, une période de **dépression** et une **reprise**. Les crises les plus violentes coïncident généralement avec un retournement du cycle long. Ce fut le cas de celles de 1848, de 1873, de 1929 et de 1973.

Ces courbes décrivent l'évolution

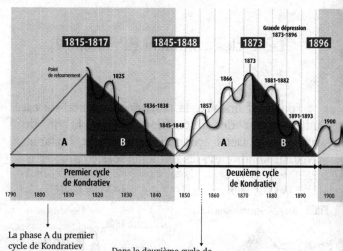

La phase A du premier cycle de Kondratiev correspond aux débuts de la révolution industrielle, marqués par la diffusion de la machine à vapeur, l'essor de l'extraction charbonnière, l'apparition du travail en usine, la mécanisation et la prédominance des industries textiles et métallurgiques.

Dans le deuxième cycle de Kondratiev, la phase A se nourrit pour l'essentiel de la « railwaymania » et de ses conséquences – en particulier la stimulation de la sidérurgie (pour fournir les rails) et de la métallurgie (pour fabriquer le matériel roulant) –, mais aussi du dynamisme des échanges favorisé par les progrès du transport terrestre et maritime.

les prix et de la production.

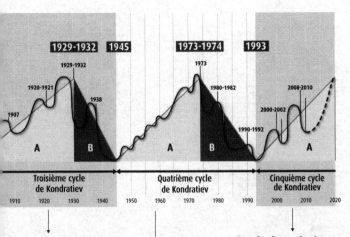

Après la Grande Dépression de 1873 à 1896, la phase A du troisième cycle de Kondratiev est nourrie par les innovations de la seconde révolution industrielle : la « fée électricité », l'essor des industries chimiques, l'industrie automobile, le transport maritime et la révolution taylorienne, qui conduit à la production de masse standardisée.

La phase A du quatrième cycle de Kondratiev repose sur le pétrole, les produits de synthèse, les industries de consommation et les moyens de transport, dans une période de retour au libre-échange et de forte reprise de la mondialisation*... Cette phase n'est marquée par aucune crise, seulement des récessions* (1949, 1953, 1957, 1960, 1970), grâce à la régulation keynésienne*.

Pour la plupart des économistes, la phase A du cinquième cycle de Kondratiev débute en 1992-1993. Amorcée aux Etats-Unis, elle se fonde sur la diffusion planétaire des nouvelles technologies de l'information et de la communication (Internet, micro-ordinateurs, téléphones mobiles, GPS, numérique), ainsi que sur l'irruption des nouveaux pays émergents dans la mondialisation.

II

LA CATASTROPHE DE 1929

La vérité sur le krach boursier

Le 4 décembre 1928, le président Coolidge adressait son dernier message sur l'état de l'Union au nouveau Congrès assemblé. Dressant le bilan de ses six années de présidence, il proclamait : « *Aucun Congrès des Etats-Unis jamais réuni, en examinant l'état de l'Union, n'a eu de perspective plus agréable que celle qui apparaît aujourd'hui. A l'intérieur règnent la tranquillité et la satisfaction... et le record du nombre d'années de prospérité. A l'extérieur règnent la paix et la bonne volonté tirées d'une compréhension mutuelle.* » Le 11 septembre de cette même année, Herbert Hoover, qui allait être élu président en novembre à une majorité écrasante, avait, lui aussi, affirmé : « *Expansions et récessions* se sont succédé d'une manière périodique depuis soixante-quinze ans... Les remèdes incluent une meilleure organisation du crédit, une information prospective concernant la demande de produits industriels, le volume à produire, le recours aux travaux publics en période d'activité peu soutenue... Grâce à la coopération établie entre les*

dirigeants de l'industrie, les banquiers et les admi-
nistrateurs publics, nous avons en grande partie
atténué le plus dangereux des désastres [le chô-
mage] qui puisse frapper les chefs de famille. La
preuve est dans le fait que nous avons eu, dans
l'industrie et le commerce, une plus longue période
de stabilité et une plus grande sécurité de l'emploi
qu'à aucune autre époque de notre histoire. »

On n'a pas manqué, depuis, de se gausser de cet optimisme affiché alors que se préparait la grande tempête qui reste dans nos mémoires comme la plus effrayante des crises*. C'est qu'il est plus facile de repérer les signes avant-coureurs des catastrophes quand ils ont eu lieu. Comme l'écrit John Kenneth Galbraith, conseiller économique de plusieurs présidents américains, dans *La Crise économique de 1929* : « *Prédire un désastre n'exige ni courage ni prescience. Il faut du courage pour dire quand les choses vont bien. Les historiens se font une joie de crucifier le faux prophète du Millenium. Ils ne s'attardent jamais sur l'erreur de celui qui a prédit, à tort, l'Apocalypse.* »

Comme toujours, en fait, le krach de Wall Street, en octobre 1929, est survenu au moment où on s'y attendait le moins, mais aussi au moment où le cycle « normal » de l'activité économique le rendait le plus probable. Comme l'avait fait remarquer l'économiste français Clément Juglar, au lendemain de la crise de 1857 qui avait frappé en quelques semaines les Etats-Unis, le Royaume-Uni et la France : « *Les symptômes qui précèdent les crises sont les signes d'une grande pros-*

périté ; nous signalerons les entreprises et les spécu-lations de tous genres... La crédulité du public qui, à la vue d'un premier succès, ne met plus rien en doute ; le goût du jeu en présence d'une hausse continue [qui] *s'empare des imaginations avec le désir de devenir riche en peu de temps, comme dans une loterie.* » Façon de dire que c'était la prospérité à son stade extrême qui était finalement le meilleur signe anticipateur du retournement de la conjoncture. Exactement comme en 2007, où la crise financière a surgi au terme de cinq années de prospérité, marquées par une croissance* écono-mique mondiale forte, un emballement des prix de l'immobilier – dont la valeur était évaluée en 2006 à une fois et demie le produit intérieur brut (PIB) mondial contre moins des trois quarts dix ans plus tôt –, et une flambée des indices boursiers qui, de New York à Paris, ont enregistré une hausse de 200 % entre février 2003 et juillet 2007. Exacte-ment comme en 1973 où le « *krach pétrolier* » est survenu, observait Jean Bouvier (*cf. p. 153*), au moment où « *les économistes les plus célèbres, les hommes d'affaires les plus responsables – les opi-nions, donc – pensaient que le monde économique-ment avancé était entré dans l'ère nouvelle de la croissance sans crise.* »

Ce présent et ce passé proches nous invitent à scruter d'un œil moins critique la croissance des années 1920, pour mieux en comprendre les « *déséquilibres* », selon la formule consacrée des manuels, comme s'il existait dans l'histoire des croissances « équilibrées » ! Au lendemain de la croisade démocratique de la Première Guerre mondiale, les Américains avaient clairement le sentiment d'être entrés dans une « ère nouvelle », dont l'acquisition d'une automobile constituait sans doute le meilleur symbole. On en comptait 1 pour 77 habitants en 1913, 1 pour un peu moins de 5 habitants en 1930 : un taux que la France mettra quarante ans à atteindre. C'était aussi l'époque des gratte-ciel qui poussaient les uns après les autres, des banlieues en pleine croissance, de l'électricité, du téléphone et de la radio qui donnaient le sentiment à ceux qui vivaient ces « années folles » de s'être affranchis des pesanteurs et des freins de l'avant-guerre. De 1922 à 1929, le PIB par tête d'habitant à prix constants s'accrut de 3,2 % en moyenne par an. Et la part des Etats-Unis dans la production industrielle mondiale, de 35,8 % en 1913, s'envola à 42,2 % en 1929, et à... 84 % pour la seule industrie automobile.

La bulle ou la Bourse* ?

Comme toujours, une vague de spéculation intense se greffa sur cette phase d'expansion économique. Elle se manifesta tout d'abord par un boom immobilier en Floride. En 1920, Miami n'était encore qu'une petite ville marécageuse de 30 000 habitants. L'été suivant, sa population avait doublé, augmentée, il est vrai, de 25 000 agents immobiliers ! Le principe de cet essor faramineux était simple comme un *subprime**. En Floride, la terre était partagée en lotissements à construire et vendue pour un règlement comptant de 10 % seulement. Avant d'avoir à verser le solde, elle pouvait déjà avoir été revendue avec un très gros bénéfice. Charles Borelli, *alias* Charles Ponzi, qui avait déjà, avant la Première Guerre mondiale, effectué trois ans de prison au Québec, puis deux autres aux Etats-Unis, toujours pour escroquerie, faisait ainsi savoir qu'il lotissait, près de Jacksonville, un terrain d'une centaine d'acres (40 hectares environ), divisé en trois lots proposés à 10 dollars l'unité. Lots, qui, assurait-il, vaudraient 5,3 millions de dollars sous deux ans. En fait, le terrain était situé à 150 kilomètres de Jacksonville et la plupart des lots situés dans des terrains immergés et inconstructibles... Le mécanisme s'enraya à partir de 1926 quand un ouragan décoiffa des milliers de maisons et fit 400 victimes, permettant aux cultivateurs qui avaient vendu leurs terres à bon prix de les retrouver grâce aux nombreuses défaillances de ceux qui avaient « perdu leurs plumes » dans cette déconfiture.

A cet égard, la Bourse semblait un placement bien plus sûr et sa hausse n'avait rien d'« anormal ». Entre 1926 et septembre 1929, l'indice général du cours des actions* était passé de l'indice 100 à l'indice 225. Ce doublement sur trois ans est assez comparable à ce qui s'était déjà passé aux Etats-Unis de 1903 à 1906, ou en France de décembre 1997 à septembre 2000, sans que personne ne dénonce alors cette « folle exubérance ». En 1925, la capitalisation boursière de toutes les actions cotées à Wall Street se montait à 27 milliards de dollars ; en septembre 1929, elle atteignait 89 milliards – un peu plus de trois fois plus ! Un chiffre souvent repris par les historiens pour dénoncer la « folie » spéculative du marché boursier américain, alors que de 1991 à 2000, à Paris, la capitalisation boursière a été multipliée par 5,8 (de 264 à 1 541 milliards d'euros) sans que personne, encore une fois, ne crie au casse-cou, même pas les socialistes au gouvernement de 1991 à 1993 et depuis 1997 !

Spécificité américaine toutefois : comme pour acquérir des terrains en Floride, il n'y avait nul besoin avant 1929 d'avancer la totalité du prix d'achat des actions pour entrer dans le temple du rêve américain. « *Tel est le génie du capitalisme*, écrit encore Galbraith. *Là où une réelle demande existe, elle ne reste pas longtemps insatisfaite.* » Dans l'affaire de la Floride, le trafic portait sur les « options ». Ce n'était pas la terre elle-même qui était vendue, mais le droit d'en acheter à un prix donné.

A la Bourse, le mécanisme était identique. Il suffisait d'acheter à crédit auprès d'un courtier*, ou *broker*, un paquet d'actions, en n'apportant qu'une partie de leur valeur et espérer que le cours monterait et permettrait de rembourser l'emprunt tout en réalisant une confortable plus-value. Sous sa forme la plus courante, la transaction se faisait avec une couverture de 10 %, 90 % étant offerts à crédit à des taux de 7 % à 12 %. Une aubaine quand les plus-values atteignaient 39,2 % en 1927, puis 35,1 % en 1928. De leur côté, les courtiers empruntaient les capitaux dont ils avaient besoin auprès des banques, ravies de trouver des rendements aussi élevés pour des placements à court terme. En mai 1926, le montant des prêts aux courtiers s'élevait à 2,7 milliards de dollars. Le 30 septembre 1929, il atteignait 8,5 milliards ! Jamais l'occasion de devenir riche sans travailler n'avait paru plus propice.

Pourtant, le 5 septembre 1929, Roger Babson, un statisticien dont les prévisions alarmistes avaient toujours été démenties, prédisait à nouveau un krach devant la XVIe Conférence nationale des hommes d'affaires réunie à Wellesley, dans le Massachusetts : « *Je répète ce que j'ai dit, à la même époque, l'année dernière et celle d'avant : tôt ou tard, il y aura un krach qui touchera les actions les plus importantes de la cote et entraînera une baisse de 60 à 80 points de l'indice Dow Jones*. Le beau temps ne peut pas durer indéfiniment. Le cycle économique est en marche, aujourd'hui comme par le passé. Le système fédéral de réserve a placé les banques dans une forte position, mais il n'a pas changé la nature humaine. Il y a plus de gens pour emprunter et spéculer aujourd'hui qu'à aucune autre époque de notre histoire. Tôt ou tard, un krach va arriver et il se peut qu'il soit colossal.* »

Depuis qu'on les mesure, les phases de hausse boursière ne dépassent jamais cinq ans ; il n'y avait donc aucun risque à annoncer un krach qui, de toute façon, aurait eu lieu. Tant il est vrai que la régulation des excès a toujours été opérée avant tout par la main « morale » des marchés. Comme si les choix et les décisions de milliers d'individus finissaient toujours par corriger spontanément les « exubérances irrationnelles ». Aussi, en 1929, après cinq années de hausse consécutive, il suffisait d'un « rien » pour qu'un krach remette à la raison ceux qui pensaient que les arbres pouvaient monter jusqu'au ciel. S'il y a bien une chose à retenir en matière de marchés boursiers, c'est que la baisse succède inexorablement à la hausse.

Le système s'emballe

Ce « rien » déclencheur fut peut-être, le 20 septembre 1929, la faillite des entreprises de Clarence Charles Hatry. Devenue l'une des personnalités les plus prisées de la *High Society* londonienne, cet ex-petit employé d'assurances avait bâti un empire impressionnant, dont le point de départ avait été une chaîne d'appareils de photographie à sous (Photomaton). Dans l'histoire du krach, on peut penser que ce fait divers ébranla sérieusement la confiance des marchés, à Londres d'abord, puis à New York. Le 22 septembre, les pages financières des journaux new-yorkais publiaient l'annonce d'une société d'investissement avec cette manchette accrocheuse : « *Un marché haussier qui dure plus que nécessaire.* » Dans le message qui suivait, on pouvait lire : « *La plupart des investisseurs font de l'argent dans un marché en hausse, seulement pour perdre tous les profits réalisés – et quelquefois davantage – dans le réajustement qui suit inévitable-*

ment. » Le genre de propos qui peuvent jeter le trouble dans des milliers d'esprits. Le 11 octobre, fait sans précédent, le service des travaux publics du Massachusetts refusa à la compagnie électrique Boston Edison de partager ses actions, à raison de quatre pour une, et suggéra que la valeur des actions, « *due aux agissements des spéculateurs* » avait atteint un niveau où personne, à son avis « *ne trouverait avantage à en acheter* ».

Le 20 octobre, en « une » du *Times*, on pouvait lire en manchette : « *Actions en baisse, une vague de ventes engouffre le marché.* » Le 23 octobre, 2 600 000 actions changèrent de main dans la dernière heure de la cotation et l'indice des actions industrielles perdit tous ses gains acquis depuis la fin juin. Le 24 octobre enfin arriva le fameux Jeudi noir ! Ce jour-là, le marché était emporté par une véritable bourrasque : 12 894 650 actions étaient vendues, mais la baisse, qui avait atteint 22,6 % à midi, se limitait à 2,1 % en fin de journée. Après deux jours stables, le cycle baissier reprit le lundi suivant, le 28 octobre, où 9,2 millions de titres furent échangés dans un marché à la baisse de 13 %. Le mardi 29, le *Black Tuesday*, le volume échangé s'éleva à 16,4 millions de titres dans un marché qui baissa encore de 12 %. En ce mois d'octobre, Wall Street avait effacé les gains d'une année. Une chute bien moins grave, pourtant, que celle qui a affecté en France le CAC 40* en octobre 2008. En un mois, en effet, la chute de l'indice (4 032 à 3 067) a ramené la Bourse de Paris à son niveau du 30 décembre 2002 (3 063) !

C'est dire que pour être sévère, le krach d'octobre 1929 n'avait rien d'exceptionnel. De fait, six mois après la bourrasque, en avril 1930, l'indice général des actions n'avait baissé que de 24,4 % par rapport à son plus haut niveau de septembre 1929. A cette date, un investisseur qui n'aurait pas cédé à la panique et aurait gardé ses titres, aurait même gagné 34,6 % depuis janvier 1928. En deux ans ! Par ailleurs, comme le remarque avec malice J. K. Galbraith, le taux de suicides pour octobre et novembre 1929 fut bien plus faible que durant l'été, quand la Bourse marchait merveilleusement bien.

A cette date, rien ne semblait vraiment distinguer la crise boursière de celles qui l'avaient précédée. En octobre 1907 déjà, un grand krach avait fait perdre en un an 40 % aux valeurs boursières, exactement comme en 2008. En 1920-1921, la chute des cours avait été identique. Rien de plus « ordinaire », donc. Dans les premiers mois qui suivirent le krach d'octobre 1929, aucun signe ne pouvait laisser croire aux contemporains qu'ils allaient connaître une crise économique exceptionnelle.

Il faut d'abord avoir à l'esprit que les fluctuations cycliques de l'économie – dont la croissance des Trente Glorieuses, de 1945 à 1974, nous a fait perdre la mémoire – étaient à l'époque au cœur des réflexions des économistes. Après Clément Juglar qui fut le premier, en 1862, à avancer l'idée de la périodicité des crises, de nombreux chercheurs, en France comme à l'étranger, s'employèrent à étudier systématiquement leur ampleur et leur périodicité. En 1917, l'université américaine d'Harvard installait le Harvard Committee for Economic Research pour mieux comprendre les fluctuations de la conjoncture. L'Allemagne en faisait autant en 1925 à Berlin. L'Autriche leur emboîta le pas en 1926, la Pologne, la Hongrie et la Belgique en 1928. Pour sa part, l'URSS disposait depuis 1921 d'un Institut de conjoncture dirigé par Nikolaï Kondratiev *(cf. Régis Bénichi, p. 71)* dépendant du Commissariat du peuple. En France, les travaux des économistes Albert Aftalion, Jean Lescure et François Simiand, avant ceux d'Ernest Labrousse, avaient habitué les esprits à l'idée que ces perturbations de l'activité économique faisaient partie du cycle normal des affaires. Pour ces experts, la Bourse était l'endroit par excellence où les exagérations se développaient par amplifications successives et où des arrêts brusques conduisaient à des effondrements. L'observation méthodique des crises antérieures les incitait à formuler l'hypothèse que la durée moyenne d'un cycle entre deux crises était comprise entre six et dix ans, le moyen terme de huit ans étant le plus fréquemment retenu.

Ingénieur de réputation mondiale, secrétaire au Commerce en 1921 et au fait des mécanismes de la vie économique, le président des Etats-Unis Herbert Hoover connaissait ces travaux. Et pour cette raison, il pensait que la crise amorcée en octobre 1929 serait même moins violente que celle de 1920-1921. Ainsi, la baisse des prix de gros avait atteint aux Etats-Unis 37 % en 1920-1921 et 9 % seulement en 1929-1930. De même, la production industrielle avait chuté de 25 % en 1920-1921, mais seulement de 17 % en 1929-1930. Enfin, le taux de chômage s'élevait à 14,2 % de l'emploi non agricole en 1930, mais il demeurait moindre qu'en 1921 (19,5 %) et qu'en 1908 (16,4 %).

L'Europe dans la tourmente

Le chroniqueur français Pierre Meynial, qui suivait la conjoncture économique pour la célèbre *Revue d'économie politique* signalait également, dans la livraison de 1931, que le total des dépôts dans les banques américaines était passé de 53,8 millions de dollars, au 30 juin 1929, à 55,2 millions, au 31 décembre 1929 et à 54,9 millions, au 30 juin 1930. Le total des crédits était resté stable à 58,4 millions de dollars en 1929 pour passer à 58,1 millions l'année suivante... Crise de liquidité* ? Un an après le krach d'octobre, la réduction des crédits, comme celle des dépôts, ne dépassait pas 6 %.

Quant aux banques américaines, on en recensait 28 257 le 31 décembre 1925, 24 630 le 31 décembre 1929 et encore 21 903 le 30 juin 1931. C'est-à-dire que le nombre de banques avait plus diminué pendant les années de prospérité (avec 3 627 fermetures) que pendant les dix-huit premiers mois de la Grande Dépression (2 727 fermetures). Du côté des employés, enfin, le salaire moyen horaire était de 0,57 dollar en janvier 1929, et de 0,56 dollar en décembre 1930 et en mai 1931. Mais comme les prix de détail avaient baissé, le pouvoir d'achat avait augmenté pour ceux qui avaient gardé leur travail. Autant de statistiques connues des contemporains qui faisaient dire à l'observateur français : « *Ce grand pays de 130 millions d'habitants, riche d'énormes ressources naturelles, magnifiquement équipé pour la production industrielle, à l'abri de tout conflit politique et militaire, pourvu d'un régime politique bien équilibré et d'une organisation sociale résistante, peut certainement trouver en lui-même les forces nécessaires à la reprise. Nous croyons même que c'est chez lui qu'elle se manifestera en premier, de même que c'est chez lui qu'est née la crise, et que l'Europe a plus à attendre des Etats-Unis que ces derniers n'ont à attendre des pays européens.* »

C'est parce qu'il partageait cette conviction que, en 1930, le président Hoover ne pouvait pas prendre les mesures que les experts d'aujourd'hui lui reprochent de ne pas avoir prises. Persuadé, comme il l'écrit dans ses *Mémoires* (1952), qu'il vivait « *une récession cyclique normale mais avec la périodicité coutumière* », n'ayant jamais lu Keynes *(cf. Philippe Chassaigne, p. 145)* dont la théorie ne prendra sa forme définitive qu'à partir de 1933, quatre ans après le déclenchement de la crise, le président des Etats-Unis se contenta de faire ce qui était coutumier en la matière. Dès l'automne 1929, le Federal Farm Board, créé en juin, augmenta les crédits aux agriculteurs pour éviter une aggravation de la chute des prix. En novembre, le Président réunit en conférence des chefs d'entreprise parmi les plus représentatifs pour leur demander de ne pas réduire les salaires. Dans les jours suivants, il demanda aux gouverneurs de développer les travaux publics et au Congrès d'ouvrir une ligne de crédits de 700 millions de dollars, soit environ 1 % du PIB de l'époque – à peu près le même pourcentage que le plan de relance français de Nicolas Sarkozy fin 2008.

Toutes ces mesures furent balayées par les conséquences de l'ouragan qui dévasta l'Europe au printemps 1931. Une Europe toujours affaiblie par les effets dramatiques de la Première Guerre mondiale et où la conjoncture se dégradait fortement depuis 1928. En mai 1931, la faillite de la Kredit Anstalt, qui représentait 70 % du total du bilan des banques autrichiennes, emporte le système bancaire d'Europe centrale. En juillet-août, l'Allemagne connaît à son tour une crise financière aiguë qui s'accompagne de la fermeture des Bourses de valeurs, d'un moratoire bancaire général et de l'instauration d'un contrôle des changes qui se généralise dans toute l'Europe centrale et orientale. Le 21 septembre 1931, fragilisé par l'accélération des sorties de capitaux, en particulier français, le gouvernement de Londres met fin à la convertibilité-or de la livre sterling. Il s'ensuit une crise des changes dans le monde, amenant les banques centrales à convertir en or leurs avoirs en dollars pour ne pas subir une nouvelle perte en cas de dévaluation américaine.

Tragique année 1932

Ces événements plongèrent les Etats-Unis dans une dépression* qui fit de l'année 1932 la plus tragique de leur histoire. Les dépôts dans les banques américaines, qui s'élevaient encore à 51,7 milliards de dollars le 30 juin 1931, s'étaient effondrés à 41,9 milliards un an plus tard. Les faillites des banques, jusque-là limitées, s'accélérèrent au cours de la même période, avec 2 857 disparitions entre les 30 juin 1931 et 1932, soit plus qu'au cours des trois années précédentes. La Bourse, qui n'avait perdu que 16,6 % entre janvier 1928 et janvier 1931, chuta de 67,8 % entre janvier 1931 et juillet 1932. Et le chômage, qui touchait 8 millions d'actifs fin 1931, en frappait 12 millions un an plus tard, soit 22,5 % de la population active...

Hoover n'avait donc pas tout à fait tort d'écrire : « *Si aucune influence externe ne nous avait frappés, il est certain que nous serions sortis sous peu de la dépression. Le grand centre de la tempête fut l'Europe. Cette tempête se mit en marche lentement jusqu'au printemps de 1931, date à laquelle elle éclata sous la forme d'un typhon financier. A ce moment-là, les énormes destructions de la guerre, les conséquences économiques du traité de Versailles, des révolutions, des budgets en déséquilibre, les dépenses d'armement fortement accrues, l'inflation, la surproduction gigantesque de caoutchouc, de café et d'autres matières premières engendrée par l'excès de contrôles artificiels du marché, et de nombreuses* autres suites de la guerre, finirent par rendre inutiles tous les efforts qui tendaient à contenir ces forces explosives. *Les blessures de l'Europe étaient si profondes que l'effondrement total de la plupart des économies européennes, au milieu de 1931, nous plongea dans des abîmes jamais vus...* »

Certes, on peut contester ce plaidoyer *pro domo* qui exonère le président républicain de ses propres responsabilités dans l'aggravation de la crise nationale et internationale. Reste que la chronologie fine de la crise des années 1930 nous invite à sortir des pensées convenues et à ne plus attribuer aux seules défaillances du système libéral américain la responsabilité d'une crise qui doit aussi beaucoup à la folie nationaliste des Européens et aux conséquences de la guerre qui a ravagé l'Europe, sans que les Etats-Unis y soient pour quelque chose. N'est-ce pas Keynes qui écrivait en novembre 1919 dans *Les Conséquences économiques de la paix*, au lendemain de la désastreuse conférence de la Paix : « *Que les Etats-Unis regardent les problèmes européens comme une source de complications, de troubles violents, onéreux et par-dessus tout incompréhensibles, et qu'ils soient donc, comme on le dit, très tentés de s'en débarrasser, on le comprend sans peine.* » Nul ne ressentait plus que lui combien il était naturel de vouloir rétorquer au manque de réalisme et à la folie des hommes d'Etat européens : « *Pourris donc dans ta méchanceté, moi je poursuis ma route/Loin de l'Europe, de ses espoirs flétris/De ses champs de massacre et de son air impur.* »

Une invitation à faire la part des choses, entre mouvements perçus et responsabilités partagées. Une invitation surtout à ne plus brandir à chaque fois qu'une crise secoue le capitalisme* le spectre de la Grande Dépression.

La jeune fille qui voulait spéculer

Quelques mois avant la crise de 1929, tout le monde ou presque avait l'illusion de pouvoir gagner facilement de l'argent. Une illusion dont témoignait avec candeur cette jeune paysanne de Caroline du Nord dont la lettre, envoyée aux dirigeants de la Standard Oil quand l'action de la compagnie valait 71,75 dollars, fut reproduite dans le *New York Times* du 1er septembre 1929 : « Voudriez-vous, s'il vous plaît, me vendre une participation dans vos puits de pétrole de 4 dollars, pour commencer, puis prendre ce que ça me rapporte et rajouter aux 4 dollars, jusqu'à ce que ça atteigne pour moi une action de 50 dollars ; si vous le voulez bien, faites-le moi savoir immédiatement.

S'il vous plaît, répondez-moi immédiatement, afin que je sache que faire. Mais s'il vous plaît, rappelez-vous que si vous prenez mes 4 dollars pour commencer, je veux que vous gardiez ce que me rapportent ces 4 dollars, jusqu'à ce que le montant total de mes intérêts dans les puits de pétrole soit de 50 dollars. J'aimerais bien placer davantage dans vos puits de pétrole, si seulement j'en avais les moyens, mais je ne les ai pas, vu que je suis une jeune fille pauvre et que je travaille à la ferme avec ma famille et que j'ai loué mes services pour travailler le tabac, afin d'obtenir cet argent que je veux placer dans les puits de pétrole. Aussi j'espère que vous aurez bon cœur et que vous prendrez cette somme afin de m'aider un peu, et si vous m'aidez ainsi, j'espère que le Seigneur vous bénira pour tout ; aussi répondez-moi bientôt pour de bon. »

Pas besoin de préciser qu'émus par cette lettre, de généreux donateurs envoyèrent le complément permettant à cette jeune paysanne de devenir actionnaire de la Standard Oil.

J. M.

Les jours qui ont compté

1929

Au début de l'année, la hausse des taux d'intérêt* de la Réserve fédérale américaine (FED) ne freine pas l'euphorie sur les marchés financiers. A l'été, le Dow Jones* monte encore et 1,5 million d'Américains spéculent.

20 septembre. La faillite de Clarence Charles Hatry, promoteur du Photomaton, associée à la hausse des taux d'intérêt qui freine le crédit, entraîne un effritement à la Bourse de New York.

23 octobre. Plus de 2 millions d'actions changent de main, dans la première heure de cotation.

24 octobre. Jeudi noir à Wall Street : plus de 12 millions de titres sont vendus, le cycle baissier est amorcé.

28 octobre. Ce Lundi noir, près de 20 millions de titres s'échangent dans un marché à la baisse de 13 %.

29 octobre. Le Mardi noir confirme le krach, avec plus de 16 millions de titres échangés dans un marché qui baisse encore de 12 %.

1930

En juillet, le relèvement massif des tarifs douaniers marque la course au protectionnisme*.

1931

11 mai. La plus grande banque autrichienne, la Kredit Anstalt, fait faillite.

13 juillet. Pour sortir de la débâcle, les banques américaines récupèrent leurs capitaux investis à l'étranger. La Danat Bank, en Allemagne, ferme ses portes.

21 septembre. Le Royaume-Uni abandonne la parité-or. La livre sterling perd 30 % de sa valeur. Une quarantaine de pays s'alignent sur le nouveau cours de la livre.

1932

2 juillet. Le gouverneur de l'Etat de New York, Franklin Roosevelt, candidat à la présidence des Etats-Unis, développe l'idée d'un New Deal, la « Nouvelle Donne ».

1933

4 mars. Lancement du New Deal qui institue le principe d'intervention de l'Etat dans les affaires économiques et sociales.

Comment la crise se propage

Dans les semaines qui suivent le krach boursier d'octobre 1929, on assiste aux Etats-Unis à une baisse rapide de la production industrielle, des importations en provenance de l'étranger et des prix des matières premières. Ainsi, la production automobile tombe de 400 000 unités en août à 92 500 en décembre. Dans le même temps, le prix du caoutchouc importé baisse de 25,7 %, celui du zinc de 16,7 %, celui du cacao de 15,4 % et celui du café de 13,1 %. En septembre 1929, les importations aux Etats-Unis représentaient 396 millions de dollars ; elles tombent à 307 millions en décembre, soit une baisse de 20 %.

C'est par ce canal du commerce international que la crise se diffuse en premier dans un monde déjà touché par la déflation* depuis 1925. En réduisant fortement les importations en provenance du Brésil, de la Colombie, de l'Argentine ou de l'Australie, la chute de la demande américaine pèse lourdement sur le revenu des producteurs de matières premières. Au Japon, les exportations de soie brute faisaient vivre deux familles sur cinq. Or la valeur des exportations de soie chute de 781 millions de yens en 1929 à 417 millions en 1930. Les exportations de la France aux Etats-Unis, qui s'élevaient à 3,34 milliards de francs en 1929 (un chiffre déjà moins élevé qu'en 1928), tombent à 2,43 milliards en 1930, puis à 1,54 milliard en 1931 – une chute de plus de 50 % en deux ans. A souligner toutefois que la faute n'incombe pas seulement à la crise américaine. Au cours de ces deux mêmes années, les exportations de la France en direction de l'union économique belgo-luxembourgeoise (le deuxième partenaire commercial de la France) chutèrent de 50,4 %, celles à destination de l'Angleterre (premier partenaire commercial de la France) de 33,4 %, et celles à destination de l'Allemagne de 42 %. La baisse des cours et la déflation qui s'est ensuivie ont bien été un des facteurs importants de la durée et de la gravité de la crise. En histoire longue – la « leçon » vaut toujours –, mieux vaut l'inflation* que la déflation.

Dans un monde où le chacun pour soi était la règle, les mouvements de capitaux furent le second véhicule de propagation internationale de la crise. Mais ils ne s'accélérèrent qu'à partir de septembre 1930. A cette date, les banques étrangères, spécialement américaines, tentèrent de retirer leurs capitaux engagés en Allemagne, et les Allemands, effrayés par les élections de 1930 qui virent une forte progression des nazis, voulurent faire de même. Ces tensions, moins liées à la crise américaine qu'à la situation politique de l'Europe, aboutirent à la faillite de la Kredit Anstalt en mai 1931.

Une faillite qui provoqua un phénomène de contagion spectaculaire. Avant cela, cependant, les banques américaines subirent des pertes et une perte de confiance qui conduisit à la crise bancaire de 1932-1933, bien plus grave que celle de 1929. Les banques anglaises, fortement engagées dans des prêts peu récupérables en Allemagne, subirent des mouvements de retraits – en particulier français – qui imposèrent la dévaluation de la livre sterling le 21 septembre 1931. Ainsi, entre octobre 1929 et mai 1931, les réserves d'or de la Banque de France progressèrent de 40 milliards de francs à 55,6 milliards : une politique de stérilisation du métal jaune qui accéléra la déflation mondiale et suscita les accusations d'égoïsme de la presse anglo-saxonne. En fait, seule une coopération internationale aurait pu enrayer cette contagion. Elle échoua, dans la mesure où les Etats-Unis n'avaient pas encore le leadership nécessaire pour rassurer les marchés mondiaux.

Autant d'éléments de contagion qui doivent moins au krach boursier qu'à la situation désastreuse provoquée en Europe par les traités de paix de 1919. Dettes de guerre, réparations, hyperinflation allemande des années 1920, balkanisation de l'Europe centrale à la suite de la disparition de l'Autriche-Hongrie, autant de facteurs qui expliquent mieux la propagation de la crise que le krach d'octobre 1929.

J. M.

Dow Jones : plus dure sera la chute

L'indice Dow Jones*, qui avait doublé entre 1926 et 1929, perd plus de 80 points entre octobre et décembre 1929. Après une légère remontée début 1930, il s'effondre pour atteindre son niveau le plus bas en 1932.

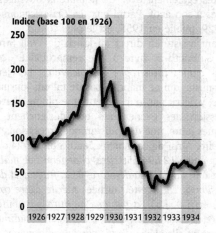

Indice (base 100 en 1926)

Source : *Histoire de la mondialisation*, R. Bénichi, p. 104

John Kenneth Galbraith :
un économiste aux premières loges

Né le 15 octobre 1908, dans l'Ontario au Canada, John Kenneth Galbraith va devenir, après sa thèse en économie agricole, l'un des plus célèbres économistes du xxᵉ siècle aux Etats-Unis. L'un des plus prolixes également avec de nombreux ouvrages et articles à son actif. Parmi eux, *La Crise économique de 1929*, publié en 1955, est le plus connu.

Ayant assisté en direct au krach de Wall Street, J. K. Galbraith se livre à une remarquable « *anatomie d'une catastrophe financière* ». Le jeune économiste, qui ne manque pas de talents journalistiques, y décrit par le menu et d'une plume alerte la succession des événements qui déclenchent, en quelques jours, une des plus grandes récessions* de l'histoire. Ainsi de ce fameux Jeudi noir, le 24 octobre, quand « *12 894 650 titres changèrent de main* ». « *C'est à la lumière du désordre, de la frayeur et de la confusion qu'elle* [cette journée] *mérite d'être considérée*, écrit-il. [...] *La panique ne dura pas toute la journée. C'était un phénomène des heures matinales. L'ouverture elle-même n'était pas impressionnante et, pendant un moment, les prix restèrent stables.* »

Trois jours plus tard, le dimanche soir, la situation paraissait revenue à la normale. Après quelques sermons évoquant une sorte de « *rétribution divine* [...] *presque tout le monde croyait que les châtiments célestes étaient terminés*, poursuit Galbraith, *et que la spéculation pouvait maintenant reprendre pour de bon* ». Il n'en sera rien : « *Le vrai désastre commença le lundi*, annonce encore Galbraith, très étonné de découvrir alors *comment des gens chics, fats, pro-tégés et pompeux pouvaient préparer leur propre perte.* »

C. G.

La crise qui porta Hitler au pouvoir

La crise* qui s'abat sur l'Allemagne en 1931 emprunte volontiers les couleurs de la tragédie grecque. Par son déroulement : elle frappe un pays qui a renoué, du moins en apparence, avec la prospérité économique. Par son dénouement : Hitler accède au pouvoir, porté par les flots d'une marée de chômeurs. Comme on le devine, ce scénario simpliste mérite quelques retouches.

Traditionnellement les ouvrages de vulgarisation décrivent la période 1924-1928 comme une période heureuse et saluent le retour à la prospérité après les terribles années d'après-guerre. Saignée démographiquement par le conflit (2 millions de morts auxquels s'ajoute une surmortalité de 740 000 civils), perdant 10 % de son territoire, abaissant la garde de son protectionnisme* douanier, l'Allemagne devait en outre acquitter, selon l'article 231 du traité de Versailles, une indemnité de guerre fixée en 1921 à 132 milliards de Marks-or. Née du financement de la guerre par la planche à billets, l'inflation* se développa, en raison des pénuries alimentaires et des lourdes charges qui grevaient le budget de l'Etat (les pensions aux victimes de guerre notamment). Du coup se déclencha, en 1923, une hyperinflation. L'indice des prix de détail passa ainsi, sur une base de 100 en 1913, à 415 en 1919, 1 340 en 1921, 15 040 en 1922, avant d'atteindre le montant inouï de 159×10^{16} en 1923. Le pouvoir, il est vrai, jugea habile cette politique de facilité : elle allégeait la dette et la dépense publiques, favorisait les exportations et la concentration des grandes entreprises (couvertes contre l'érosion monétaire par les revenus en devises qu'elles tiraient des exportations), tout en montrant aux yeux du monde que le fardeau intolérable qu'imposaient les réparations plaçait l'Allemagne en situation d'insolvabilité. La république de Weimar suspendit d'ailleurs ses paiements en novembre 1922.

Cette politique put avoir d'heureuses conséquences. Le produit national brut (PNB) s'éleva de 7 % par an, entre 1919 et 1922 et les exportations augmentèrent en volume. Et si la population s'accoutuma à aller acheter ses pommes de terre avec des brouettes de Marks, les salaires résistèrent à la baisse. Mais cela ne pouvait de toute évidence s'éterniser. Le coût des importations devenait intenable. Les classes moyennes, mesurant la vulnérabilité de leur statut, s'alarmèrent et commencèrent à regretter l'heureuse époque de Guillaume II ; les commerçants furent souvent ruinés ; les agriculteurs connurent quelques difficultés – bien qu'ils aient pu à bon compte apurer leurs dettes en les réglant avec une monnaie dévaluée.

Après avoir laissé filer l'inflation, les autorités décidèrent donc de réagir. Limitant les dépenses publiques, menant une politique du crédit restrictive (qui obligea les Allemands à rapatrier les capitaux placés à l'étranger), elle créèrent des institutions bancaires transitoires chargées de restaurer la confiance. Le Reichsmark (1924) fut à nouveau gagé sur l'or et émis par une Reichsbank conviée à l'orthodoxie : la Banque centrale* n'avait plus à financer le déficit de l'Etat ; elle perdait le droit d'intervenir librement sur le marché des actions* et obligations* ; ses billets devaient être couverts à hauteur de 40 % en or ou en devises. Enfin, le plan Dawes régla l'épineuse question des réparations, désormais garanties par des prélèvements sur les impôts (assis sur le sucre, le tabac, l'alcool...) ainsi que par des hypothèques sur les chemins de fer et les entreprises.

En août 1924, l'hyperinflation ainsi jugulée, la république de Weimar renouait, semblait-il, avec la stabilité. Pourtant, la réalité de ces brèves années se révèle moins brillante. Certes, le produit intérieur brut (PIB) augmenta, passant, sur une base 100 (1913), de l'indice 79 en 1923 à l'indice 121 en 1929. Mais cette croissance* fut limitée : en 1928, le niveau par habitant du produit national dépassait seulement de 9 % les performances de 1913. L'économie allemande, en bref, souffrait de langueur. Certains historiens comme Knut Borchardt ont même parlé de « *pré-crise* ».

Le crédit trop cher

Diminué par la guerre, menacé par de nouveaux concurrents, sclérosé par une cartellisation qui freinait la concurrence et l'innovation, le pays perdait des points à l'exportation – jadis son domaine d'excellence. Alors que l'Allemagne assurait 13 % des exportations mondiales à la veille du premier conflit mondial, elle en couvrait à peine 10 % au soir du Jeudi noir (le 24 octobre 1929). Ces médiocres performances n'encourageaient pas les industriels à investir – l'investissement passa de 15 % du revenu national (1910-1913) à 11 % (1925-1929) – et les taux d'intérêt*, souvent supérieurs à 9 %, n'incitaient guère à l'emprunt. Certes, les capitaux ne manquaient pas. L'étranger, notamment les Etats-Unis, fournit ainsi quelque 25 milliards de prêts entre 1924 et 1928. Mais ces flux entretenaient la cherté du crédit, puisque les fonds n'affluaient que pour bénéficier de taux d'intérêt rémunérateurs. De plus, ces sommes étaient âprement disputées. Faute de pouvoir s'adresser, pour son financement, à la Banque centrale, l'Etat emprunta. Les collectivités locales comme les *Länder* suivirent, afin de financer infrastructures, logements et dépenses sociales.

En d'autres termes, les industriels furent victimes d'un effet d'éviction qui limita leur capacité à investir. Quand ils le firent, les perspectives moroses de l'économie allemande les poussèrent à rationaliser leurs investissements plutôt qu'à prendre des risques. Autrement dit, à remplacer les hommes par les machines plutôt qu'à accroître leur capacité productive. Confrontés à des perspectives maussades, les employeurs poussèrent les feux de la modernisation, développant la taylorisation, la mécanisation et l'organisation scientifique du travail. Ce choix, précisons-le, était en partie dicté par le haut niveau qu'atteignirent les salaires entre 1918 et 1929 : ils accaparaient 46 % du PNB en 1920-1925 et 62 % en 1931. Certes, ce niveau n'était pas nécessairement excessif si l'on estime, comme certains historiens allemands, que la forte progression de la productivité compensait cette flambée. Dans la Ruhr, un mineur extrayait 255 tonnes de charbon par an en 1925, 386 tonnes en 1932. Le nombre de gueules noires suivit en revanche un chemin proportionnellement inverse : le bassin recensait 400 000 mineurs en 1913, 350 000 en 1929, 190 000 seulement en 1932.

Le chômage fut donc une réalité avant le krach de Wall Street. Il frappait 8 % de la population active en 1926, 6 % en 1929, 9,5 % en 1930...

La tourmente financière, déclenchée à New York, mit deux ans pour s'abattre sur la république de Weimar. L'histoire est connue. Confrontés à leurs échéances, les prêteurs étrangers – américains avant tout – retirèrent leurs capitaux (le plus souvent prêtés à court terme). Faute de liquidités*, la Danat Bank fit faillite le 12 juillet 1931,

suscitant un mouvement de panique chez les épargnants, qui coururent retirer leurs fonds. Le
système bancaire s'écroula alors tel un château de
cartes. La production industrielle chuta, divisée
par deux entre 1929 et 1932. Et les entreprises,
faute de crédit et de perspectives, licencièrent. En
1932, sur 18 millions de salariés allemands, 6 millions étaient au chômage complet, 8 autres millions au chômage partiel.

6 millions de chômeurs

Face à la gravité de la situation, le pouvoir
s'employa d'abord à restaurer le système bancaire. Bloquant les comptes le 5 août 1931,
offrant sa garantie à la Danat, rachetant, par-
tiellement ou totalement certaines entreprises (la
Dresdner Bank, par exemple), l'État imposa le
contrôle des changes et accrut le taux de
l'escompte. Le chancelier Heinrich Brüning, par
ailleurs, mena une politique de déflation* fondée
sur la baisse autoritaire des salaires et des prix. Il
entendait ainsi rétablir la compétitivité à l'exportation tout en montrant aux puissances étrangères que le temps des manipulations monétaires
était révolu – dans l'espoir également d'obtenir
l'annulation des réparations. Sans doute instru-
mentalisa-t-il la crise pour rogner les avantages
salariaux et sociaux que le monde du travail avait
conquis durant l'entre-deux-guerres, comme le sug-
gère l'historien Carl-Ludwig Holtfrerich. Quoi qu'il

en soit, cette politique échoua. Les exportations ne se redressèrent guère ; le chômage frappait encore 6 millions d'Allemands en janvier 1933, un niveau d'autant plus intolérable qu'une faible proportion de chômeurs était indemnisée.

Une autre politique était-elle possible ? Certains l'affirment, soulignant que Brüning aurait dû conduire une politique de reflation*, fondée notamment sur le déficit budgétaire. Cependant, la loi de 1924 interdisait à la Reichsbank de consentir des avances à l'Etat et le pouvoir ne pouvait emprunter sur le marché des capitaux, vu des taux d'intérêt élevés – pas plus qu'il ne pouvait emprunter à l'extérieur dans un monde frappé par la crise. Brüning ne disposait guère de marges de manœuvre.

Le marasme économique suscité par la crise allait conduire Adolf Hitler au pouvoir. Le Parti national-socialiste (NSDAP), ébranlé par son semi-revers d'avril 1932, se remit en selle aux élections de juillet, avec 14 millions de voix et 230 sièges sur 607. Poussé par les milieux d'affaires et une frange de la droite conservatrice, Hitler accéda à la Chancellerie le 30 janvier 1933.

Sachant que la pérennité de son pouvoir dépendrait de sa capacité à solder la crise, le Führer s'employa à juguler le chômage. Non, comme on le dit trop souvent, en réarmant, mais en utilisant des armes somme toute classiques. Les femmes furent incitées à quitter le marché du travail, l'Etat leur offrant alors des prêts généreux ; la jeunesse fut conviée à effectuer un service civil puis militaire ; surtout, l'Etat mena une politique que l'historien anglais Richard Overy a qualifiée de « *motorisation* ». A savoir : allier la construction de routes, de ponts et d'autoroutes au soutien apporté à une industrie automobile nationale protégée de la concurrence étrangère, ce qui permit de créer, entre 1933 et 1938, plus de 1 million d'emplois. Durant l'année fiscale 1934-1935, ces mesures (1,6 milliard de Reichsmarks) coûtèrent presque autant que le réarmement (1,9 milliard). Il faudra attendre 1936 pour que les dépenses militaires du Reich connaissent un envol qui ne devait plus se démentir ; de 3,2 milliards de Reichsmarks entre 1935-1936 à 10,9 milliards pour 1937-1938, avant de bondir à 17 milliards à la veille de l'embrasement.

Ce bref récit appelle *in fine* trois remarques. D'abord, la crise de 1929 en Allemagne – de 1931-1932 pour être plus précis – s'est surajoutée à une situation déjà fragile, associant une conjoncture dramatique à une faiblesse structurelle. La politique anticrise de Brüning, ensuite, s'explique par les marges de manœuvre limitées dont le chancelier disposait, mais aussi par des choix idéologiques privilégiant le capital aux dépens du travail. Avec également un objectif primordial aux yeux des gouvernants : obtenir la révision du traité de Versailles. Enfin, arrivé au pouvoir grâce à la détresse sociale suscitée par un chômage de masse, Hitler a mené une politique anticrise fondée sur des grands travaux plutôt que sur un réarmement qui débutera véritablement en 1936. Les succès remportés aboutirent à la chute du chômage (il touchait 2,7 millions d'Allemands en 1934, 1,6 million en 1936), permettant de renforcer le pouvoir nazi.

L'Etat revient en force

L'Histoire : A quel moment la crise* de 1929 atteint-elle l'Europe ?

Michel Margairaz : De manière schématique, on peut dire que la crise américaine s'étale entre 1929 et 1932. Elle imbrique une crise boursière, une crise agricole, une crise financière et une crise économique. C'est seulement à l'été 1931 que la crise européenne devient manifeste, quand s'effondrent de très grandes banques en Allemagne et en Europe centrale et danubienne, comme la Kredit Anstalt à Vienne. C'est tout le système financier international qui vole en éclats.

Les échanges se contractent, la production fléchit, le chômage augmente, les prix baissent. C'est le début de ce qu'on appelle la déflation*, c'est-à-dire à la fois une chute des productions et une chute des prix et des revenus – la baisse entraînant la baisse, qui crée l'incertitude, le refus de produire et d'échanger. C'est une régression cumulée. Tout cela arrive à l'été 1931, en Angleterre et en Allemagne, puis en France. Mais il y avait déjà

fléchissement de certaines productions avant cette
date.

*L'H. : Comment les gouvernements réagissent-
ils ?*

M. M. : Ils réagissent en ordre dispersé par la
dévaluation, le repli protectionniste* et des politiques de relance budgétaire, suivant des dosages
variés. Dès l'été 1931, la Grande-Bretagne quitte le
système d'étalon de change-or. Très rapidement, la
livre sterling perd 30 % à 40 % de sa valeur. Au
même moment, l'Allemagne et la plupart des pays
de l'Europe centrale et danubienne se munissent
de contrôle des changes, de contrôle des mouvements de capitaux et du commerce extérieur. Un
système extrêmement rigide d'échanges, dit de
« *clearing* », une sorte de troc étatique, est mis en
place entre ces pays.

On peut dire que ces événements marquent la
deuxième date de naissance de la crise. C'en est
fini du système monétaire international et de la
liberté des échanges. Partout se dressent des barrières douanières, voire des quotas, ce qui est pire.
Chacun va camper sur sa zone monétaire privilé-
giée ou sur sa zone de domination économique,
comme l'Allemagne à l'égard des pays d'Europe
centrale. On assiste à un éclatement à la fois
monétaire, commercial et politique, qui s'aggrave
à partir de 1933 avec l'accession au pouvoir des
nazis.

L'H. : Il n'y a eu aucune tentative de concertation ?

M. M. : Entre 1931 et 1933, toutes les tentatives de concertation ont échoué. La question des réparations continue d'empoisonner les relations internationales. Le traité de Versailles avait imposé à l'Allemagne des réparations dont le montant, très lourd, avait été néanmoins réajusté et échelonné à travers les plans Dawes (1924) et Young (1929). Mais avec la crise, les dettes internationales sont suspendues par le moratoire Hoover, du nom du président des Etats-Unis. En juin 1933, la conférence de Londres sur les politiques monétaires et commerciales est le dernier moment où il y aurait pu y avoir une concertation entre les grands pays pour répondre conjointement à la crise. Mais Roosevelt, qui est depuis trois mois au pouvoir, décide de dévaluer unilatéralement à des fins de politique intérieure. Sa priorité est de réduire l'endettement des Américains, en particulier celui des *farmers* de l'Ouest qui ont beaucoup pesé dans l'élection. Pour alléger les dettes, il faut décrocher le dollar de l'or et éviter que le rapport entre la livre, qui est déjà dépréciée, et le dollar ne soit trop défavorable. Cette politique nationale étroite et égoïste a fait échouer cette conférence de Londres. Roosevelt porte une lourde responsabilité.

L'H. : Comment s'est imposée l'idée que l'intervention de l'Etat était nécessaire pour lutter contre la crise ?

M. M. : En 1929 dominait encore l'idée libérale que tout se rétablirait très vite, qu'il s'agissait d'un mécanisme d'épuration, ou de correction automatique, et qu'il fallait attendre. Ce n'est que peu à peu qu'on a pris conscience qu'il pouvait y avoir un équilibre vers le bas durable et qu'il fallait faire plus qu'accompagner le mouvement, le contrarier.

John Maynard Keynes le dira dans sa *Théorie générale de l'emploi, de l'intérêt et de la monnaie*, publiée en 1936. On peut très bien avoir une économie en sous-emploi qui s'équilibre par une spirale régressive permanente. Il n'y a pas nécessairement un rééquilibrage par des mécanismes des prix, des taux d'intérêt* ou de la monnaie. En 1931, en Europe, peu après l'échec des politiques de déflation – comme la réduction des dépenses publiques, et notamment des traitements des fonctionnaires, pratiquée par Brüning en Allemagne, en 1931, ou par Laval en France, en 1935 –, il est apparu que le système ne se rétablirait pas de lui-même. Les gouvernants ont compris, suivant des délais variables selon les Etats, qu'il fallait intervenir sur l'économie. C'est là une grande nouveauté. Aux Etats-Unis aussi. Roosevelt se fait élire en novembre 1932 sur un programme volontariste. Le thème de sa campagne est : « *La seule chose que nous devons craindre, c'est la peur elle-même.* »

L'H. : *Des mesures mises en œuvre, lesquelles ont été efficaces ?*

M. M. : Il est difficile de faire le tri. Certains pays s'en sortent mieux. Mais est-ce lié à une politique particulière ? Aux caractères propres de chaque économie nationale ? Un peu aux deux sans doute...

L'Angleterre et l'Allemagne sont les deux pays où la reprise est la plus précoce, la plus forte et la plus nette, dès 1934. En 1939, ils ont dépassé leur niveau de 1929. On ne peut donc pas en tirer de conclusion sur la nature du régime et sur son efficacité. L'Allemagne, d'ailleurs, a combiné des mesures prises avant et après l'arrivée au pouvoir de Hitler.

L'H. : *Qu'est-ce qui a permis le redémarrage de l'Allemagne ?*

***M. M.* :** Le gouvernement de Weimar décroche la monnaie de l'or à l'été 1931, l'Allemagne n'ayant pas de réserves monétaires équivalentes à celles des autres grands pays. Un contrôle des changes est imposé et un protectionnisme autoritaire instauré. Il s'agit d'économiser le plus possible les réserves de changes et d'or. En outre, Hitler met en place, grâce à son ministre Hjalmar Schacht, un système financier assez habile par la création d'une sorte de nouvelle monnaie, des traites de l'Etat circulant comme moyen de paiement. C'est de l'inflation* contrôlée. Des commandes publiques sont lancées dès 1933. Ce sont d'abord des commandes civiles, comme le programme de construction des autoroutes – même si on pense aux blindés en les construisant. Puis, à partir de 1936, c'est le plan de réarmement de quatre ans de Goering. En 1939, l'Allemagne nazie est la deuxième puissance économique mondiale.

Qu'est-ce qui a été décisif ? Sans doute ces mesures de relance, accompagnées de la protection de l'économie vis-à-vis des grands courants internationaux, mais aussi une domination économique des pays d'Europe centrale, contraints d'échanger avec l'Allemagne dans une situation asymétrique de dépendance.

L'H. : *Et pour l'Angleterre, qu'est-ce qui a été décisif ?*

M. M. : L'Angleterre ne fait rien comme les autres. Elle n'avait pas connu de prospérité dans les années 1920 et la crise est moins grave chez elle, même s'il y a près de 3 millions de chômeurs à l'été 1931. En 1925, elle a beaucoup souffert de la réévaluation de la livre. La compétitivité des produits anglais en avait été gravement diminuée. Ce qui a été décisif pour l'Angleterre c'est le décrochage de la livre sterling. Avec la dévaluation, de l'ordre de 30 %, la livre sterling perd sa suprématie en tant que monnaie de référence, mais cela a sans doute sauvé une grande partie de l'économie anglaise : les exportations retrouvent leur compétitivité et, en 1938, la Grande-Bretagne assure près de 20 % du commerce mondial.

La dévaluation est suivie par les pays qui ont lié leur monnaie à la livre sterling. Se constitue ainsi une immense zone sterling au sein de laquelle les partenaires se retrouvent dans un espace où les échanges sont encouragés par la « préférence impériale », instaurée par les accords d'Ottawa de 1932. C'est un atout dont l'Angleterre a su tirer parti.

En outre, l'Angleterre se rallie au protection-nisme, une réaction assez insolite pour un pays qui était le symbole du libre-échange* depuis cent ans. Il y a aussi eu une forte politique de dépenses, en particulier en faveur de la construction de loge-ments, qui a favorisé les débuts d'un véritable réa-ménagement du territoire. Cela a permis que les Britanniques connaissent la meilleure situation d'Europe en matière de logement, et peut-être le plus haut niveau de vie au moment de l'entrée en guerre. De tous, l'Angleterre est sans doute le pays qui se sort le mieux de la crise.

L'H. : *Qui sont les perdants de la crise des années 1930 ?*

M. M. : Les deux pays qui s'en sortent le moins bien sont la France et les Etats-Unis. Dans les deux cas, on a assisté à un effondrement de la demande. Seuls le réarmement et l'entrée en guerre vont permettre de rétablir la situation. Il faut attendre 1941 pour que les Etats-Unis retrou-vent leur niveau de production d'avant la crise. La France, elle, n'a toujours pas rattrapé en 1939 le niveau de 1929 en matière industrielle. Il faudra attendre 1949 !

L'H. : *En quoi consistait exactement le New Deal de Roosevelt ?*

M. M. : Des mesures permettent à l'Etat fédéral
d'intervenir dans les questions économiques, bancaires, financières et commerciales, dans un désordre relatif. Roosevelt décide à la fois de réguler le
système bancaire, de décrocher le dollar et de le
dévaluer, et d'engager des programmes successifs
de grands travaux pour employer les chômeurs
(avec la Tennessee Valley Authority, la Civil Works
Administration, la Public Works Administration). Il
y adjoint des mesures d'aides aux pauvres (Federal
Emergency Relief Administration, Federal Surplus
Relief Corporation).

Ce qui est vraiment nouveau, c'est le fait que
l'Etat fédéral essaye d'inciter les producteurs
industriels et agricoles à s'organiser par des systèmes d'entente sur des prix et des salaires minima
(avec l'Agricultural Adjustment Act ou AAA et le
National Industrial Recovery Act ou Nira). Mais,
au nom de la libre-concurrence, la Cour suprême
n'a pas admis certaines lois, comme celle sur le
relèvement industriel (Nira), qui a été invalidée en
1935.

Roosevelt se lance alors dans un deuxième New
Deal, en 1935. Une ébauche de sécurité sociale est
mise en place, avec un début d'assurance-chômage
et d'assurance-vieillesse pour éviter l'effondrement
complet des revenus. Rien n'est fait en matière
d'assurance-maladie – le sujet est encore aujourd'hui
au programme de Barack Obama.

Mais il n'y a pas une politique systématique de
déficit budgétaire et les Etats-Unis connaissent une
rechute en 1938. Le redémarrage n'intervient réel-

lement qu'avec l'entrée en guerre, en 1941, qui résorbe enfin le chômage.

L'H. : Quelle est la politique de la France face à la crise ?

M. M. : La crise est moins violente en France, sans doute parce que des amortisseurs ont pu tempérer les chiffres du chômage : ce sont notamment l'importance encore grande du monde agricole et du marché rural et le renvoi de près d'un million de travailleurs étrangers. Les gouvernants de 1932 à 1935 ont d'abord mené une politique très impopulaire et peu efficace de déflation, en particulier le gouvernement de Pierre Laval en 1935, avec une réduction des dépenses budgétaires et la baisse du traitement des fonctionnaires.

Quand le Front populaire remporte les élections en avril-mai 1936, le schéma d'analyse de Léon Blum consiste à relancer la consommation, ce qui devait reconstituer un marché intérieur permettant aux chefs d'entreprise de réinvestir. Une partie du chemin a été faite. Les grèves de mai et juin 1936 ont entraîné des mesures favorables aux salariés, telles les augmentations de salaires, prises d'ailleurs par le patronat plus que par l'Etat. Des lois les ont ensuite accompagnées : les 40 heures, les congés payés, les conventions collectives de l'accord Matignon.

Mais, dans un contexte tendu de grèves et de refus des 40 heures de la part des patrons, les investissements n'ont pas suivi. En 1938, la mesure est en grande partie abandonnée. Le programme reste à mi-chemin.

L'H. : *La crise a-t-elle bouleversé la carte politique de l'Europe et favorisé la montée des régimes autoritaires ?*

M. M. : En Allemagne, dès 1930, la république de Weimar est paralysée et le système politique ne fonctionne plus, mais la crise a en effet facilité l'arrivée au pouvoir de Hitler – et son maintien ensuite. On pourrait aussi citer le cas de l'Autriche qui devient nazie en 1938. Mais, en Italie, le fascisme a largement précédé la crise. Ni en Grande-Bretagne, ni aux Etats-Unis, ni en France, il n'y a eu de rupture majeure des institutions politiques : la crise a seulement favorisé l'alternance. Il est difficile d'établir un lien direct entre la crise économique et les grandes ruptures politiques.

L'H. : *Peut-on dire que les politiques qui ont été menées à l'époque sont des politiques « keynésiennes » ?*

M. M. : En réalité, Keynes formalise, en 1936, des éléments qui sont déjà dans l'air du temps. Certains gouvernements ont déjà mis en pratique les mesures qu'il théorise dans son ouvrage. On peut retenir trois éléments.

Premièrement, le fait qu'il peut y avoir un équilibre dans le sous-emploi.

Deuxièmement, l'idée qu'il faut éviter que l'argent placé dans le circuit économique reste inactif, soit sous forme thésaurisée, soit sous forme d'une épargne mal ou peu investie. D'où la volonté d'augmenter le pouvoir d'achat de ceux qui en ont le moins (parce qu'ils vont le dépenser plus vite) et de miser sur une taxation des hauts revenus. Aujourd'hui, une telle mesure entraîne encore de nombreux débats.

La troisième idée est que, si les entrepreneurs privés ne sont plus en mesure d'élever l'offre pour créer de la demande, comme c'est le cas lors de la crise, c'est à l'Etat d'agir – sous des formes prudentes. Keynes n'est pas socialiste, il préconise une intervention limitée. L'Etat doit s'arranger pour relancer la consommation et l'investissement par la voie monétaire (en abaissant les taux d'intérêt et en rendant le crédit moins cher) ou budgétaire, voire par le protectionnisme. Keynes préconise une politique de la dépense en période de crise. Le déficit étant de toute façon inévitable, il pourra être résorbé en période de croissance*.

L'H. : *Quelles leçons ont été tirées de cette crise ?*
M. M. : Les anti-modèles des années 1930 ont longtemps pesé sur la réflexion économique et politique. Ils sont restés profondément ancrés chez les économistes, les hommes d'affaires et une grande partie des hommes politiques, libéraux ou conservateurs, en particulier anglo-saxons. Il s'est alors agi d'éviter la déflation et le chômage de masse, mais aussi le protectionnisme et les dévaluations compétitives sans concertation internationale. L'idée qu'une concertation monétaire et

commerciale entre pays est nécessaire aboutira aux accords de Bretton Woods, en juillet 1944, et à la création du Fonds monétaire international (le FMI) en 1945, puis, à la signature du GATT (l'Accord général sur les tarifs douaniers et le commerce) en 1947.

Demeurent aujourd'hui encore l'interdit du retour au protectionnisme – même s'il y a des tentations, comme on le constate actuellement aux Etats-Unis pour l'acier – et l'idée qu'il faut chercher des formes de concertation dans les réponses apportées par chaque pays.

(Propos recueillis par Séverine Nikel.)

Pour vaincre la crise... la guerre ?

*La course aux armements a-t-elle été
un moyen de sortir de la crise économique
de 1929 ? On peut en discuter.
Mais elle a, sans nul doute,
précipité l'entrée dans la guerre.*

La Seconde Guerre mondiale est-elle l'aboutissement logique et inéluctable de la Grande Dépression ? En 1983, le grand historien René Rémond, mort en 2007, avait tranché dans *L'Histoire* n° 58 : « *Le fascisme n'avait pas attendu la grande crise pour s'emparer du pouvoir, pas plus que le Parti national-socialiste n'était né de la crise de 1929. Mein Kampf n'est pas un manifeste économique contre le chômage. La guerre a été l'expression d'une volonté de puissance. Qu'on ne s'y trompe pas ! Elle est sortie – pour beaucoup – de l'ambition hégémonique d'un homme et d'une doctrine de haine.* »

La politique de réarmement à outrance que conduit Adolf Hitler à partir de 1936 cherche à combattre le chômage, mais elle vise surtout à forger l'outil qui permettra à l'Allemagne de venger l'humiliation du traité de Versailles. Cette politique répond aussi à une nécessité stratégique. Pour pallier l'échec de la politique d'autarcie, qui ne débouche que sur des « ersatz » coûteux et insuffisants, le régime nazi prépare fiévreusement les instruments d'une « guerre éclair » pour conquérir un « espace vital », le plus vaste possible, et le piller.

Avec des moyens moindres, Benito Mussolini, en Italie, suit une voie identique fondée sur l'exaltation du nationalisme. Nouveau César, il prétend renouer avec la grandeur romaine, rêve de conquêtes extérieures et s'en justifie en affirmant : « *Le fascisme repousse le pacifisme qui cache une renonciation à la lutte et une lâcheté en face du sacrifice.* » De leur côté, les militaires, arrivés au pouvoir en 1930 au Japon, passent à l'acte : ils s'emparent de la riche Mandchourie en 1931 et s'attaquent à la Chine en 1937, prélude à la création par la force d'une immense « sphère de coprospérité » asiatique, destinée à compenser la pauvreté extrême du Japon en énergie et matières premières.

A l'inverse de ces dictatures sur-armées et agressives, les démocraties réfugiées dans le pacifisme négligent le réarmement. Forte de son insularité et confiante dans l'efficacité de sa « politique d'apaisement », l'Angleterre n'engage un effort de réarmement qu'à la fin des années 1930. En France, mise à part la construction de la ligne Maginot, les gouvernements n'ont aucune politique suivie. En 1936, les commissions chargées d'évaluer les usines de guerre nationalisées par le Front populaire sont effarées par la vétusté des matériels et l'absence de mécanisation. Les premiers efforts sérieux commencent avec la modernisation des usines nationalisées et la création d'une caisse des marchés de l'Etat, qui permet d'avancer des fonds publics pour les commandes d'armes. Ce n'est qu'en 1938 que le réarmement devient une priorité absolue : les « 40 heures », victoire sociale du Front populaire, sont abandonnées au profit du secteur de la Défense nationale. Outre-Atlantique, l'opinion américaine est profondément isolationniste et le gouvernement lié par les lois de neutralité. Il faut attendre décembre 1940 pour que le président Roosevelt, réélu pour la troisième fois, annonce un ambitieux programme de mobilisation économique pour faire des Etats-Unis « *le plus grand arsenal de la démocratie* ». Le Victory Program est présenté en janvier 1942. Il prévoit de porter, à partir de 1943, la production annuelle à 125 000 avions, 75 000 tanks, 35 000 canons anti-aériens et de multiplier par six la construction navale. Cette mobilisation sans précédent, d'un coût total de 300 milliards de dollars (dix fois plus que pour la Première Guerre mondiale) a effective-ment mis fin à la dépression* des années 1930 et montré l'efficacité de l'économie américaine. Mais, rappelons-le tout de même, son objectif pre-mier n'était pas la lutte contre le chômage, mais l'aide aux démocraties et la guerre contre le Japon, après l'attaque sur Pearl Harbor, le 7 décembre 1941.

La production chute

Après la crise de 1929, la production se redresse lentement et à des rythmes différents, selon les pays.

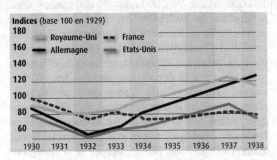

Indices (base 100 en 1929)

Le chômage explose

L'apogée du chômage se situe en 1932 et concerne près d'un actif sur quatre aux États-Unis.

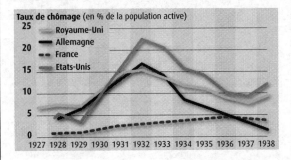

Taux de chômage (en % de la population active)

Les prix s'effondrent

Le ralentissement économique s'accompagne d'une baisse générale des prix et des profits.

Prix de 20 denrées alimentaires et matières premières industrielles
(indice basé sur la moyenne de 51 devises)

Le commerce régresse

Le montant des échanges internationaux est divisé par trois entre 1929 et 1933.

La contraction du commerce international (en milliards de dollars)

....

Un dandy nommé Keynes

Qui connaît M. Keynes ? Non pas, bien sûr, l'économiste de renommée mondiale, mais le personnage privé, l'homme, né le 5 juin 1883 à Cambridge et décédé d'une crise cardiaque, le 21 avril 1946, dans sa résidence secondaire du Sussex. Car sa vie n'a rien de celle, formatée sinon un peu convenue, de l'universitaire standard, et sa stature intellectuelle tend aisément à devenir l'arbre qui cache la forêt. En fait, dans sa vie comme dans son œuvre, Keynes fut un non-conformiste qui prit un malin plaisir à bousculer les conventions de son époque.

Rien, pourtant, ne semblait l'y prédisposer au départ : il vint au monde, aîné de trois enfants dans un milieu plus que favorisé, fils d'un professeur d'économie de l'université de Cambridge et d'une mère fortement engagée dans le mouvement philanthropique local. Keynes reçut ensuite l'éducation commune aux enfants de son âge et de son statut social : précepteurs, puis *prep school* – entendons un établissement qui « préparait » aux prestigieuses *public schools* –, et Eton. Entre 1897 et 1902, il y mena de brillantes études, avant d'intégrer King's College, à Cambridge, où son goût pour les sciences économiques s'affirma. Entre 1906 et 1908, il travailla à Londres comme fonctionnaire à l'India Office[1], avant d'obtenir un poste universitaire à Cambridge, en mars 1909.

Foin des hypocrisies

Dans le même temps, ses goûts personnels s'affirmaient, notamment en matière amoureuse. Etudiant, il faisait partie des Cambridge Apostles, un club philosophique fondé au début du XIXe siècle, où l'homosexualité était monnaie courante – lui-même ne faisant pas mystère de son attirance pour le même sexe. Le Keynes des années 1900 n'était d'ailleurs pas sans charme : un visage fermement dessiné, des cheveux noirs, une bouche assez sensuelle, un regard pénétrant. A Londres, il mena une vie sexuelle très active, consignant par écrit les caractéristiques de ses aventures (lieu, date, détails physiques très précis). Il fut un membre assidu du groupe de Bloomsbury, un cercle d'intellectuels et d'artistes qui se réunissaient au domicile de Virginia Woolf, à Gordon Square. Fort critiques envers l'hypocrisie de la mentalité de leurs contemporains, ils affi-

---

1. Le ministère chargé de l'Inde, alors colonie britannique.

chaient des idées d'avant-garde dans le domaine des mœurs et de la politique. C'est là que, en 1908, il se lia avec le peintre Duncan Grant, qui fut le grand amour de sa vie, avant que la passion ne cède la place à l'amitié.

La Première Guerre mondiale marqua le début de sa carrière publique. Dès août 1914, il intégrait le Trésor et persuadait le gouvernement de maintenir la convertibilité de la livre en or. En 1917, il rejoignait le Conseil interallié chargé des dépenses de guerre et, en 1919, il dirigeait la délégation du Trésor à la conférence de la Paix, à Versailles. On sait comment Keynes en claqua la porte : dans *Les Conséquences économiques de la paix* (1919), il critiqua sévèrement un traité de Versailles jugé trop dur vis-à-vis de l'Allemagne – qui ne pourrait s'y conformer sans risquer la ruine – et incapable d'instaurer l'unité économique de l'Europe, sans laquelle toute reconstruction serait impossible. Devenu instantanément célèbre, Keynes fut même proposé en 1923 pour le prix Nobel de la paix. En 1925, dans *Les Conséquences économiques de M. Churchill*[1], il dénonçait le rétablissement de la livre sterling à sa parité or de 1914, le jugeant trop coûteux en matière de croissance* et d'emploi.

Plus généralement, il s'affirma alors comme le principal critique des politiques déflationnistes* qui, dans le sillage de la conférence de Gênes

---

1. Winston Churchill était alors chancelier de l'Echiquier.

(1922), visaient à rétablir l'étalon or partout où cela était possible. Comme il devait l'écrire en 1923 : « *Il est plus grave dans un monde appauvri de provoquer le chômage que de décevoir le rentier.* » Sur le plan personnel, les années 1920 furent celles de sa rencontre (1921), puis de son mariage (1925) avec Lydia Lopokova, une ballerine russe de la troupe de Diaghilev, de neuf ans sa cadette. On ne sait exactement si Keynes continua à avoir des aventures homosexuelles, mais le mariage, bien que sans enfant, fut assurément heureux et combla les deux parties, même si Lydia ne fit pas l'unanimité dans le groupe de Bloomsbury.

Anobli par George VI

Dans le contexte de la crise* mondiale de 1929, Keynes publia ses deux ouvrages majeurs, *Traité de la monnaie* (1930) et, surtout, *Théorie générale de l'emploi, de l'intérêt et de la monnaie* (1936). Mais, pour critique qu'il soit envers l'orthodoxie « laissez-fairiste » de son temps, Keynes, par ailleurs proche du parti libéral, n'était nullement collectiviste et ne professait que mépris pour le marxisme : « *Comment pourrais-je accepter la doctrine communiste*, écrivait-il en 1931, *qui a fait sa Bible d'un manuel dépassé, que je sais non seulement être scientifiquement erroné, mais sans pertinence pour le monde moderne ?* »

Sa carrière connut son apogée pendant la Seconde Guerre mondiale. Ayant réintégré le

Trésor, en mai 1940, en tant que conseiller, il y exerça une influence considérable sur la politique budgétaire du pays pendant la guerre. En septembre 1941, il devint l'un des directeurs de la Banque d'Angleterre, et travailla avec William Beveridge sur les moyens de financer le futur Etat-providence*. En mai 1942, il fut anobli par George VI, et le premier baron Keynes of Tilton (le lieu de sa résidence secondaire) siégea dès lors à la Chambre des lords sur les bancs du parti libéral. Son talent de négociateur fut essentiel pour déterminer les modalités de l'aide américaine aux Britanniques, tant pendant le conflit que lors de l'immédiat après-guerre, et, en 1944, il fut un des leaders de la conférence de Bretton Woods (juin-juillet 1944). Epuisé par tant d'activités, ayant déjà subi des alertes lors de son séjour aux Etats-Unis, il fut emporté par une crise cardiaque, le jour de Pâques 1946. Convaincu de sa supériorité intellectuelle, conscient de l'impact désormais mondial de ses thèses, il n'en vit cependant pas les réalisations les plus concrètes au cours des Trente Glorieuses, véritable « âge des keynésiens ».

III

VERS LA CRISE MONDIALE

1973 : quand le pétrole s'en mêle

La crise* de 1974-1975 n'est pas la première des crises mondiales. De 1825 à 1974, le monde industriel capitaliste a traversé vingt crises dont les dates sont connues et dont les mécanismes et manifestations ont souvent été décrits par les historiens et les économistes. Nous avons tous en tête des souvenirs ou des témoignages de la crise des années 1930 et, sans être nécessairement savants, nous observons que ces crises « de notre temps » réapparaissaient de façon cyclique. Elles ont mûri, ont été préparées, au cœur même des années d'essor et de prospérité qui les précédaient toujours.

La crise pétrolière est d'une certaine manière banale. Des usines ferment, le chômage croît, le commerce mondial régresse, les stocks augmentent, les faillites d'entreprises progressent, la production industrielle et le produit national brut reculent, la consommation plafonne, l'endettement des entreprises s'alourdit... Tel est le spectacle qu'offrent tous les grands pays en

1974-1975. Pourtant, malgré ces manifestations attendues, voire convenues, la crise étonne, parce qu'elle est présentée comme imprévue et qu'elle innove en matière de dérèglements économiques.

La croissance* sans crise

La crise mondiale de 1974 n'a pas échappé à la règle. Les opinions, édifiées depuis la fin de la Seconde Guerre mondiale par les économistes les plus célèbres, les hommes d'affaires les plus responsables, les dirigeants politiques les plus raisonnables, pensaient que le monde économiquement avancé était entré dans l'ère nouvelle de la croissance sans crise. L'a-t-on assez dit ? A-t-on assez écrit sur le « miracle » allemand, le « miracle » français, le « miracle » japonais, le « miracle » américain... Et n'était-ce pas vrai ? Car, en 1949, 1953, 1958 ou 1970, les grands pays n'avaient connu que des « récessions* », c'est-à-dire de simples et brefs ralentissements de leur croissance. Pleins d'orgueil, les responsables de l'économie et les économistes de la chaire, toujours très professoraux, expliquaient que le monde industriel avait trouvé des recettes et des procédés pour discipliner, régulariser, entretenir la croissance. C'était le temps du « plein emploi », avec un chômage très faible, et de l'accélération inouïe des vitesses de croissance – les plus rapides que les grands pays aient jamais connues. Comme il fallait trouver une explication simple à ce long climat d'euphorie, on tressait des couronnes à cet étonnant économiste anglais : Lord Keynes, qui écrivit dans la première moitié du xxᵉ siècle, dont tout le monde parlait, mais que bien peu avaient lu, car ses ouvrages sont obscurs et difficiles. On le créditait de l'invention, autour de 1928-1935, de recettes de lutte anticrise. On était en pleine dépression* mondiale dite de « 1929 ». Dépression qui avait mûri en 1927-1928 et dont le krach de Wall Street, en octobre 1929, avait été précédé de divers autres craquements. Les recettes proposées par Keynes consistaient à faire jouer à l'Etat un rôle actif et salvateur dans l'économie, par diverses formes d'interventionnisme, mais qui, toutes, se traduisaient par l'augmentation des dépenses publiques et par l'injection de flux d'argent grâce aux commandes et aux initiatives de l'Etat. Le profit privé devait ainsi être ranimé par l'intervention de la puissance publique.

En fait, Keynes fut entendu et écouté par les gouvernements, à commencer par le gouvernement anglais, non dans les années 1930, mais pendant la Seconde Guerre mondiale et après. Son grand succès est un succès posthume... Dès lors, pendant trente ans, tous les économistes ou presque furent keynésiens ; tous les gouvernements des grands pays pratiquèrent des politiques économiques et sociales actives ; tous guidèrent et aidèrent, directement ou indirectement, la croissance. Et, miracle parmi les miracles, certains de ces gouvernements, notamment en France, se firent

« planificateurs ». Ils établirent des plans de développement, en s'appuyant sur des équipes remar-
quables d'économistes et de responsables économiques privés ou publics. Et, tant bien que mal, ils
appliquèrent ces plans avec succès. En France, le
père du premier Plan de modernisation et d'équipement (1947-1951), Jean Monnet, est passé à
l'état de gloire nationale et de personnalité intou-
chable.

C'est ce consensus et trois décennies de croissance que la crise de 1974 vient briser d'un coup.
Le temps des miracles, brusquement, se termine.
Le problème des origines de la crise divise alors
magnifiquement les économistes en deux camps,
comprenant l'un et l'autre plusieurs « familles ».
Pour le premier camp, la crise mondiale de 1974
n'est qu'un accident. Plus exactement, le résultat
d'une série d'accidents et d'erreurs. Elle n'a eu que
des causes particulières qui se sont malencontreu-
sement additionnées. Donc, elle ne se reproduira
pas. Les erreurs fondamentales sont monétaires :
on a offert trop de monnaie, on a trop spéculé sur
les monnaies, on a donc développé l'inflation*. Et,
au bout de toute inflation, arrive un jour son
contraire : la déflation*... et la crise.

Parmi les accidents, le principal est (bien sûr) la
multiplication par quatre du prix du pétrole par
l'Organisation des pays exportateurs de pétrole
(OPEP) à l'automne 1973. D'où l'explication dominante de la crise résumée à : « *C'est la faute au
pétrole.* » Née d'une cause « monopétrolière », elle
continue pour la même raison. En effet, disent les

économistes du premier camp, la hausse du pétrole a déséquilibré les balances des paiements des pays industriels importateurs de pétrole (République fédérale d'Allemagne [RFA], France, Italie, Grande-Bretagne). Il a donc fallu que ces pays paient et tentent de le résorber, ce déficit.

Comment ? D'une part, en important moins : c'est-à-dire en acceptant le ralentissement de leur activité économique interne. La crise sert à cela. D'autre part, en exportant plus : en essayant de diminuer la consommation intérieure pour consacrer une plus grande part de la production nationale à l'exportation. La crise encore sert à cela. Elle comprime et ralentit la consommation intérieure, puisqu'elle entretient un chômage considérable.

Baisse des profits

Pour les économistes du second camp, la crise a été alimentée, approfondie, entretenue, par le coup (coût) pétrolier. Mais elle était en marche avant octobre 1973, avant l'accident pétrolier. Ses racines profondes se nourrissent du système de production lui-même. Alors que le pétrole est un facteur exogène de crise, celle-ci a, aussi et d'abord, des causes endogènes. En suivant, mois après mois, pour les années 1970-1974, quelque vingt-cinq indices (ou variables) de la conjoncture économique française (productions et consommations globales, grandes catégories de prix, taux d'intérêt*, niveaux d'investissement, salaires réels, chômage, etc.), on observe que tous ces indices clignotaient déjà avant le choc pétrolier. Ils se dégradaient déjà avant octobre 1973, avant l'hiver 1973-1974, avant l'affaire pétrolière et, donc, avant l'explosion de la crise qui, en France, se déploie à partir du second semestre 1974. C'est en 1972 et en 1973, à des dates variables selon les indices observés, que les détériorations apparaissent. Parmi elles, les plus préoccupantes : l'accélération de la hausse des prix, l'accélération du chômage et de l'endettement des entreprises industrielles, le ralentissement de l'investissement, l'arrêt, en France, de la hausse des taux de profit.

Ainsi, dans ce dernier cas, les taux de profits des sociétés industrielles françaises ne montent plus à partir de 1971. Ils stagnent et même baissent légèrement en 1973. La crise de 1974 les voit, bien sûr, s'effondrer. En tout cas, nul doute qu'il y avait autre chose que l'accident pétrolier aux origines profondes et structurelles, de la crise.

Vieux monde et nouvelle donne

On peut ramener à trois les caractères insolites de la crise. Le premier aspect concerne la crise elle-même en 1974-1975. Celle-ci confirme avec éclat un phénomène apparu dans le milieu des années 1960 : la « stagflation* », c'est-à-dire la coïncidence du ralentissement de la croissance globale, puis de la crise, avec le maintien de prix très élevés, en hausse constante. Auparavant, avant la Seconde Guerre mondiale, comme avant la première, les prix baissaient pendant les crises. Cette baisse était un élément de rééquilibrage, de régulation, puis de reprise ultérieure. Dans les années 1960 et 1970, les difficultés économiques lourdes ne mettent pas un frein à l'inflation. Ainsi des prix à la consommation en France. Dans les années 1960-1973, leur hausse s'accélère. Ensuite, pendant et après la crise, ils progressent de 13,7 % en 1974 et de 11,8 % en 1975, pour s'obstiner à rester entre 9 % et 10 % de hausse par an, en 1976, 1977, 1978. La lutte contre l'inflation n'a produit aucun résultat. Certes, l'inflation-stagflation est plus ou moins prononcée selon les pays : forte en France, très forte en Italie ou en Grande-Bretagne, beaucoup plus faible en RFA ou aux Etats-Unis. Mais elle est.

Le deuxième caractère nouveau de la crise est la persistance d'un chômage croissant, même en temps de reprise provisoire. Ce chômage dit « structurel » a des causes économiques, mais aussi démographiques et sociologiques. Le troisième caractère de nouveauté concerne, lui, la reprise en 1976-1978. En principe, après une crise mondiale, la reprise est générale et gagne tous les pays. Dans un laps de temps court (autour d'un an), elle devient mondiale. Or, ce n'est plus le cas : de 1976 à 1978, certains pays avancés sont sortis de la crise, d'autres non. Entre ces pays, un contraste très net oppose la forte reprise des Etats-Unis et du Japon au piétinement, marqué par une croissance très lente, des pays industriels de l'Europe occidentale. En RFA, en Angleterre, en Italie, et en France, le chômage particulièrement tenace continue de progresser.

C'est que la crise de 1974 met aussi en lumière les changements en cours dans l'équilibre économique du monde. Un économiste français, Philippe Mahrer, a ainsi publié, dans *Le Monde* du 9 janvier 1979, un article au titre suggestif : « La crise est d'abord celle du Vieux Monde. » D'après lui, le Vieux Monde, c'est l'Europe, et elle seule, non sortie de la crise alors que « *les autres zones de développement connaissent à nouveau une relative prospérité* ».

Que sont ces « *autres zones* » ? Etats-Unis, Japon, certes, mais aussi « *les pays nouvellement industrialisés* » tels que la Turquie, la Corée du Sud, Taïwan, Singapour, l'Inde, Hongkong, le Brésil, le Mexique... Ainsi voit-on les grands groupes industriels, européens, japonais, américains, déplacer leurs investissements vers ces pays et se délocaliser ; des secteurs entiers du vieux tissu industriel européen s'effondrer et ne plus se relever : la sidérurgie, les constructions navales, des pans de l'industrie textile et de certaines constructions mécaniques... Les Etats-Unis, eux, résistent d'autant mieux que la chute du dollar rend les prix américains à l'exportation compétitifs. Ils exportent leurs difficultés grâce au dollar flottant.

Dans ces conditions, quel est le redoutable héritage de la crise économique mondiale de 1974-1975 et de ses suites en 1976-1978 ? C'est une nouvelle distribution des cartes du jeu industriel mondial. C'est un changement des rapports de force économique entre les zones du globe. De ce point de vue, il faudrait faire une place particulière à ceux des Etats, en voie de développement, qui sont vendeurs de pétrole et ce serait le thème des « pétrodollars ». Il faudrait faire une place également aux grandes sociétés pétrolières internationales, qui s'en sortent très bien dans la mêlée économique mondiale. Les prix élevés du pétrole depuis 1974 signifient pour elles une augmentation de leurs bénéfices et la possibilité de rentabiliser rapidement leurs investissements récents dans l'énergie nucléaire, mais aussi dans les schistes bitumineux et le charbon. Car le monde va continuer à dévorer de l'énergie...

Comme un séisme, la crise de 1974-1975 a produit dans l'économie mondiale des ondes de choc. Depuis, les pays et les grandes firmes cherchent à se redéployer pour ajuster leur stratégie aux changements des marchés. En face, on voit émerger des pays jusque-là classés comme « *en voie de développement* », qui s'équipent, s'industrialisent et apparaissent comme des vendeurs, donc des concurrents des vieux pays industriels.

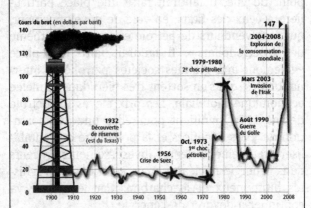

Pétrole : une série de chocs

Cours du brut (en dollars par baril)

1932
Découverte
de réserves
(est du Texas)

1956
Crise de Suez

Oct. 1973
1ᵉʳ choc
pétrolier

1979-1980
2ᵉ choc pétrolier

Mars 2003
Invasion
de l'Irak

Août 1990
Guerre
du Golfe

2004-2008
Explosion de
la consommation
mondiale

147 ▶

La dépendance des pays développés à « l'or noir »
grandit après la Seconde Guerre mondiale. Jusqu'en
1973, les prix sont fixés par les majors, les grandes
compagnies internationales. De 1973 à 1980, ils sont
fixés par l'OPEP, créée en 1960. Depuis 1980, ils sont
définis par le marché et dépendent donc de la conjoncture économique, de l'évolution géopolitique et de la
spéculation.

Psychanalyse d'une illusion collective

J'intitulerais volontiers cette histoire, l'apologue de Keynes. En juin 1931, ce dernier prononce devant les étudiants de la Harris Foundation, à Chicago, trois conférences appelées : « Une analyse économique du chômage. » Il prend la parole dans une conjoncture financière calamiteuse. Coup sur coup, la faillite de la Kredit Anstalt à Vienne (en mai) et l'instauration du moratoire Hoover (en juin), suspendant les réparations allemandes et les dettes interalliées pour un an, ont disloqué le système monétaire international mis en place après la guerre. Retrouvant les accents du temps de la conférence de la Paix, Keynes assigne aux économistes l'ambition de mettre à jour « *les courants cachés, coulant continuellement au-dessous de la surface de l'histoire politique* » et « *d'influencer ces courants invisibles en mettant en mouvement les forces d'instruction et d'imagination qui changent l'opinion* ». La pédagogie de la crise* de 1929 accompagne donc sa théorisation : « *Cela paraît d'une extraordinaire bêtise que cette merveilleuse explosion d'énergie productive* [1925-1929]

*puisse tenir lieu de prélude à l'appauvrissement et à
la crise. Quelques esprits austères et puritains consi-
dèrent ceci comme une punition inévitable et souhai-
table après tant de surexpansion, comme ils disent,
une vengeance sur l'esprit spéculatif humain. Ce
serait, pensent-ils, une victoire du veau d'or si tant
de prospérité n'était pas ensuite équilibrée par une
banqueroute universelle. Nous avons besoin, disent-
ils, de ce qu'ils appellent une liquidation prolongée
pour nous rétablir. La liquidation, ajoutent-ils, n'est
pas encore complète. Mais, le moment venu, elle le
sera. Lorsque suffisamment de temps se sera écoulé
pour que la liquidation ait eu lieu, à nouveau, nous
nous porterons bien. »*

Il est absurde d'imaginer qu'avant le krach boursier tout n'était que prospérité et qu'après tout ne
serait plus que marasme. La seule question qui
vaille intellectuellement, selon John Maynard
Keynes, reste de trouver le moyen de surmonter
l'obstacle de notre impuissance cognitive. Dans
cette perspective, la chronique de 1929 ne sert à
rien. Le hiatus fait sens tout seul. Inutile d'y ajouter un récit du franchissement avec ses drames,
ses causalités circonstancielles. En effet, on a beau
suivre à la trace les péripéties de l'effondrement
boursier, il n'en sort ni théorie de la crise ni explication du choc. La démarche de Keynes se
comprend mieux si on la rapproche de la problé-
matique adoptée, des années plus tard, par l'historien de l'art Ernst Gombrich dans *Art and Illusion.
A Study in the Psychology of Pictorial Represen-
tation* (1960). A quoi bon s'intéresser aux chan-

gements en tant que tels puisqu'ils peuvent s'analyser dans le mouvement artistique comme autant d'innovations ou d'abandons. La cohérence du regard pictural se pose sans justification nécessaire, dès lors qu'est admise la sélectivité de la perception. *Mutatis mutandis*, Keynes procède de la même manière : les événements de 1929 sont perceptibles par le changement des prix relatifs ou l'explosion du chômage. Ils sont inéluctables puisque le système est naturellement instable. L'important consiste à identifier les mouvements de fond.

La richesse pour tous ?

Moyennant quoi, la fresque économique prend une cohérence rassurante. Dans un premier temps, l'anticipation autoréalisatrice réunit les financiers et le public dans l'espoir de gains substantiels. « Tout le monde » croit que les gisements aurifères de Louisiane détenus par la Compagnie d'Occident de John Law apporteront à l'Europe du XVIIIᵉ siècle une manne comparable à celle des grandes découvertes. De même, les montages financiers imaginés par Samuel Insull pour les services publics des Etats du Midwest et par les frères Van Sweringen pour les chemins de fer permettent un développement vertigineux, dans la seconde moitié des années 1920. La recherche du profit et le sens de l'intérêt général vont de pair, ce que résume John J. Raskob, directeur de la General Motors et président du Comité national démocrate : « *Tout le monde devrait être riche.* » Pourtant, avec le même ensemble, les avis se retournent et, ce qui, hier, était considéré comme l'innovation financière du siècle, devient suspect puis condamnable. La prophétie autoréalisatrice a toujours la même cohérence, mais celle-ci a changé de registre : l'heure est au « Jugement », lorsque la chute des cours de la Bourse* devient abyssale.

Dans un texte, confié à la NRF, du 1er août 1931, contemporain donc des conférences de Keynes, le philosophe Alain donne le sentiment général : *« Tous ces pays sont fort émus à la pensée qu'ils ne seront pas payés ou qu'ils ne pourront pas payer. Qui pèsera ces richesses imaginaires et ces dettes imaginaires ? Il faudrait un cynique ; et le cynique de nos jours c'est Gobseck, c'est le banquier, justement celui qui croit aux richesses imaginaires et aux dettes imaginaires. Quand Gobseck se demande ce qu'il tirera d'un mauvais papier, il pèse une croyance, il pèse une opinion, il ne pèse pas une valeur vraie. Faites croire à un amateur de tableau qu'il vendra une absurde petite toile plus cher qu'il ne vous la paye, alors la valeur est bonne ; on oublie de se demander si la toile en question vaut quelque chose. »*

Triomphe du conformisme et de ce bon sens satisfait que stigmatisait Keynes, la déroute de Gobseck sonne le repli des avant-gardes. Ce qui passait pour la clé du progrès devient filouterie ; pire, cela « *part en fumée* » et ce feu-là semble pour Alain la légitime revanche des honnêtes gens. Il pense à leur sauvegarde : Noé remplace avantageusement le veau d'or. Et ces *leverages* – moyen de lever des capitaux à crédit *via* un système de contrepartie entre rentabilité des prêts et absence de droit de vote – sont de la poudre jetée aux yeux d'un public sans méfiance ni mémoire.

Mais l'histoire du choc de crise, du basculement d'une prophétie à l'autre, n'est toujours pas écrite. D'ailleurs, elle ne le sera pas, ni par Keynes ni par ses contradicteurs ou ses épigones. Les économistes s'intéressent à la modification des grands agrégats, à leur interdépendance. Leur obsession est d'élucider l'écart de nature, de dimension entre la prévision économique *ex ante* et le constat que l'on dresse *ex post* dans une situation de crise. Quant à l'opinion, elle tire de ces analyses savantes une conclusion prosaïque : nous n'avons aucune idée précise des conséquences de nos décisions, même si celles-ci ont été prises rationnellement.

L'argent sorcier

A quoi bon écrire l'histoire des chocs ? La légende est plus palpitante. La vulgate se crée avec le récit des trajectoires individuelles fracassées par la malédiction, l'orgueil ou la cupidité. Ainsi la firme de courtage Goldman Sachs tient-elle le rôle de mauvais génie de la spéculation boursière, hier comme aujourd'hui. Voilà des experts qui ont pris soin d'étudier pendant de longs mois le marché des sociétés d'investissement, avant de proposer des montages si inventifs et si rentables qu'ils avaient propulsé la firme aux premiers rangs mondiaux. Et ses actions* qui valaient encore 104 dollars l'unité au printemps 1929 ne vaudraient plus que 2 dollars dix-huit mois plus tard ? Il y a de la sorcellerie ou de la manipulation là-dessous.

« *Le désordre est le meilleur serviteur de l'ordre établi* », selon l'aphorisme sartrien. L'opération mérite qu'on s'y attarde. Identifier un choc, c'est opérer un travail sur la forme : les pyramides des sociétés d'investissement ou des holdings, symboles de la prospérité, perdent, dans ces circonstances, leur verticalité et se dissolvent dans une bulle financière, dont les contours flous et la masse écrasante semblent annoncer l'inéluctable éclatement. Grâce à l'ordinateur, les courbes se précisent, se décomposent par secteur ou par espace géographique ; mieux, le programme inclut des solutions automatiques (vendre à partir d'un seuil) réalisées dans les délais les plus courts. Mais la fiabilité du système repose en fait sur l'appréciation esthétique du dessin des moyennes mobiles. En juillet-août 1987, celles-ci prennent l'allure d'une épaule puis d'un cou, soit le syndrome le plus évident du choc boursier à venir, du moins en théorie (la figure est dite « tête à épaule »). Or personne ne voit rien, non par intention maligne, goût du complot ploutocratique, ou insuffisance professionnelle (autant d'arguments servis après-coup par les moralistes), mais parce que l'économie mondiale est passée, entre 1975 et 1990, du « style » au « savoir-faire ».

Jusque-là, on identifiait l'origine des transactions, on jaugeait leur montant, on connaissait souvent le nom des bénéficiaires (en 1950, les deux tiers des actions de la City étaient encore aux mains de particuliers). Même en 1975, avec ordinateurs et changes flottants, la Bourse de New York réalisait moins de 20 % de ses transactions sur des blocs (supérieurs à 10 000 titres). Dix ans plus tard, on a dépassé le seuil des 50 %. Le débouclage des positions tient de l'exploit, dans la mesure où l'ajustement de l'offre et de la demande porte sur des quantités gigantesques et en des lieux concurrents. Le 15 mai 1986, par exemple, un fonds de pension américain achète à New York 12,3 millions de titres de la seule société Unocal Corporation, en un bloc, pour un montant de 325 millions de dollars. Et dans la même séance, il se couvre de pertes éventuelles en vendant sur le marché à terme de Chicago. L'arbitrage s'opère moins sur le produit que sur l'espérance d'une anticipation correcte. La « réputation » acquise par la modélisation statistique entérine le triomphe de l'abstraction. Mais, parce que les modèles sont tous de facture voisine, l'appréciation repose sur des *a priori* particuliers, sur leur présentation par les intermédiaires financiers et leur représentation par les clients. On se trouve un peu dans la situation du visiteur de l'exposition « Chiffres » organisée par le peintre Jasper Johns en 1960 : il voit la totalité des chiffres à travers le premier peint sur la toile, mais il a perdu ses repères habituels. Le 0 marque-t-il le début de la crise ou, vu au travers des autres chiffres, le point de fuite d'un capitalisme* délabré ? Est-ce le chiffre (entendons la modélisation) qui fait sens, son chiffre (son prix, sa présentation) ou sa production en un moment donné de l'histoire ?

L'Etat, médecin de la société

Répondre à ces questions implique le recours à un subterfuge sémantique : la métaphore. Grâce à son registre, elle permet d'échapper aux limites de l'analyse scientifique de la crise. Elle donne ainsi au choc inaugural une fonction cathartique. La métaphore simplifie la forme de la crise parce qu'elle propose des équivalents incomplets, des « points de vue ». Lorsque Keynes emprunte l'analogie du veau d'or pour stigmatiser le prêt-à-penser de ses contemporains, il réalise ce qu'un économiste appellerait une transaction mutuellement avantageuse. Mais, somme toute, il utilise la même recette que le Tintoret de la *Madonna dell'Orto* installant la translation du veau d'or au cœur de la plus importante confrérie des marchands de la première ville commerciale du temps, Venise. Le détour par le registre religieux le plus universel et le plus solennel (la Bible) permet de donner la mesure du choc. Mais il autorise également une meilleure compréhension du réel, voire sa dissimulation. Qu'il s'agisse d'un dévoilement ou d'une dénégation, peu importe au fond, dès lors que la métaphore règle les questions de la forme. Elle met un ordre. La morale peut faire son retour en majesté.

Grâce à la fiction, la métaphore règle trois des problèmes majeurs posés par les chocs économiques. En pétrifiant le réel, elle permet de le maîtriser, du moins en partie, alors que la situation est précisément inquiétante. De la sorte, la violence du choc est atténuée par l'image, par les mots. En deuxième lieu, ce traitement présente une valeur heuristique particulière en ce qu'il donne sens au concept d'insécurité : le choc constitue une expérience de la société sur elle-même, mais une expérience insupportable parce qu'elle annonce une bifurcation que les individus n'ont ni le temps de prévoir ni le temps d'observer. La métaphore opère une sélection rassurante qui permet de penser l'avenir. Elle est convention ; elle dévoile en préservant le corps social du choc révolutionnaire de la transparence. Enfin, la métaphore annonce le retour à l'ordre : la rationalité ne parvient pas à éliminer l'opacité du collectif ; or, celui-ci, en quête de nouveaux liens, les formule empiriquement dans le discours métaphorique. L'homme d'Etat est alors appelé en médecin de la société, tandis que l'homme de la rue peut afficher sa préférence pour la liquidité* suprême, l'or. Personne ne s'offusque de cette régression : il ne s'agit plus de thésaurisation mais de sécurité, au moins virtuelle.

D'où vient la crise économique mondiale

Pour comprendre la crise* économique qui s'est déchaînée à l'automne 2008, il faut remonter trente ans en arrière. C'est en effet à la fin des années 1970 qu'émerge la mondialisation*, définie comme une norme de régulation de l'économie dominée par le marché et par l'universalisation du capitalisme*. Elle apparut d'abord comme un remède à la stagflation* et au blocage de la régulation keynésienne*, fondé sur le primat de la politique monétaire ainsi que sur les programmes de privatisation et de libéralisation des années Thatcher (1979-1990) et Reagan (1981-1988).

La chute du mur de Berlin, le 9 novembre 1989, et la révolution des technologies de l'information lui donnèrent une formidable accélération : au cours de la dernière décennie du XXᵉ siècle, après le choc de la guerre du Golfe, l'économie mondiale renoua avec une croissance* intensive.

L'année 2001 vit le retour des turbulences. Avant même les attentats du 11 septembre contre le World Trade Center, l'éclatement de la bulle spéculative sur les nouvelles technologies souligna les illusions nées de la pseudo nouvelle économie et la vulnérabilité de l'économie ouverte.

A l'été 2007 se déclencha la crise dite des *subprimes** qui ne cessa de s'étendre jusqu'à provoquer, le 15 septembre 2008, avec la faillite de la banque Lehman Brothers, la première grande crise du XXIe siècle, placée sous le signe de l'effondrement du crédit et d'une menace de déflation* planétaire. Loin d'être conjoncturel ou cantonné à un secteur d'activité ou à une région, le choc affecte la structure même du capitalisme mondialisé ; mais il ne signifie pas nécessairement son effondrement.

Le capitalisme, loin d'être immuable, emprunte des formes historiques qui ont varié depuis son apparition au XVIIe siècle. Ainsi, la première révolution industrielle, organisée autour de la machine à vapeur et de la division du travail, buta sur la récession* du milieu du XIXe siècle. L'essor de l'urbanisation et de l'industrialisation déboucha sur la stagnation* des deux dernières décennies du XIXe siècle, qui fut surmontée par une floraison d'innovations techniques, par l'institutionnalisation de l'entreprise et par la formalisation du lien salarial. Au XXe siècle, la montée de la production et de la consommation de masse fut heurtée de plein fouet par la grande déflation des années 1930. Puis la croissance connut un formidable développement après la Seconde Guerre mondiale autour de la société industrielle, de la mise en place des Etats-providence* et de la régulation keynésienne tendue vers le plein-emploi, qui prit fin avec la stagflation des années 1970. Karl Marx avait raison d'affirmer que « *le capitalisme génère avec l'inexorabilité d'une loi de nature les forces de sa propre contradiction* ». Mais il sous-estimait sa capacité à élaborer des solutions aux déséquilibres qu'il génère, en modifiant sa régulation et en se restructurant selon la dynamique de « *destruction créatrice* » décrite par Schumpeter. De fait, c'est un caméléon qui mute au travers des crises qu'il traverse. Celles-ci peuvent être de deux types.

Les premières consistent en des chocs sectoriels ou régionaux, comme le furent, durant le cycle de la mondialisation, les secousses boursières de 1987 ou 1997, la crise asiatique de 1997, la banqueroute russe de 1998 ou l'implosion de l'Argentine en 2001. Les secondes, structurelles et globales, touchent la régulation du système économique. Ainsi des sorties de conflits mondiaux, en 1918 et 1945, qui actèrent les gigantesques transformations économiques et sociales provoquées par la guerre totale. Ainsi de la grande déflation des années 1930 ou de la stagflation des années 1970.

Nul ne peut douter que la crise de l'été 2007 appartienne à cette seconde catégorie. A cela, plusieurs raisons.

Sa complexité, qui résulte du cumul d'un risque de rupture du système bancaire, d'un effondrement du crédit, d'un krach immobilier et d'une chute des marchés boursiers.

Sa dimension universelle, des Etats-Unis aux pays émergents, en passant par l'Europe ou par les pays les moins avancés.

Sa vitesse de diffusion, qu'il s'agisse de la propagation de la récession, de l'arrêt instantané du marché interbancaire ou de la pénurie du dollar provoqués par la faillite de Lehman Brothers.

Le blocage d'un modèle économique qui reposait sur la complémentarité de pays s'endettant pour consommer et importer, à l'image des Etats-Unis, du Royaume-Uni, de l'Espagne ou de l'Irlande, et de nations épargnant pour investir et exporter, tels la Chine, l'Allemagne, le Japon ou la Corée.

La faillite généralisée de secteurs clés comme la banque ou l'automobile.

Le 15 septembre 2008 est à la mondialisation ce que fut le Jeudi noir d'octobre 1929 pour le capitalisme de l'Etat minimal. Il clôt un cycle dominé par l'ouverture des frontières et la dérégulation, mais aussi par la suprématie absolue des Etats-Unis et de l'Occident dans le pilotage de l'économie de marché. Le capitalisme survivra assurément. La mondialisation se poursuivra vraisemblablement, mais au prix d'une transformation radicale de sa forme et de sa régulation.

1979, une année décisive

1979 s'est révélée être une année charnière à plusieurs titres.

Sous l'impulsion de Paul Volcker, son directeur, la Réserve fédérale américaine (FED) effectua un changement complet de stratégie, fondé sur la priorité absolue accordée à l'éradication de l'inflation*, au prix d'une forte hausse des taux d'intérêt* : le lancement du cycle de désinflation prolongé par les politiques de libéralisation mit ainsi fin à la régulation keynésienne des décennies d'après-guerre.

La chute du chah et la révolution iranienne firent renaître la théocratie et marquèrent le retour de la religion et de l'Islam au premier plan de l'histoire et de la politique.

L'élection de Jean-Paul II à la papauté amorça la fin du soviétisme.

L'invasion de l'Afghanistan accéléra le déclin de l'Union soviétique.

Enfin, le lancement des « quatre modernisations » par Deng Xiaoping initia le développement et le rattrapage fulgurants de la Chine.

Inaugurée par une forte récession provoquée par le deuxième choc pétrolier et le durcissement des politiques monétaires, la décennie 1980 fut placée sous le signe de la remontée en puissance des forces du marché par rapport aux Etats, symbolisée par un intense mouvement d'innovation financière que le krach de 1987 ne ralentit que provisoirement.

La chute du mur de Berlin, en 1989, déboucha sur un âge d'or de la mondialisation. L'automne des peuples et l'effondrement du soviétisme constituèrent une des grandes révolutions de la liberté. En même temps, la décomposition des économies planifiées laissa le champ libre à l'universalisation du capitalisme. Après la récession, qui accompagna la sortie de la guerre du Golfe, et la délicate transition des nouvelles démocraties, la croissance mondiale connut une formidable accélération due à la baisse de l'inflation, des taux d'intérêt, du prix de l'énergie et des matières premières. Surtout, elle fut portée par le développement des échanges et des investissements internationaux favorisés par l'ouverture des frontières, l'extension des mécanismes de marchés et la grappe d'innovations portées par les technologies de l'information. Cette décennie fut déterminante dans la mesure où elle vit le big bang du capitalisme, avec la réintégration de la Chine, de l'Inde, de la Russie et du Brésil dans les échanges mondiaux, la réunification du continent européen et le décollage de nombreux pays en Asie, en Amérique latine et jusqu'en Afrique. Ce renouveau de la démocratie et du marché nourrit en même temps les illusions sur la fin de l'histoire, la disparition des cycles ou l'émergence d'une nouvelle économie. L'immédiat après-guerre froide correspondit enfin à l'apogée de la puissance américaine, universelle et sans rivale dans les années qui suivirent la disparition de l'Union soviétique.

2001, la fin d'un modèle

L'année 2001, placée sous le signe du krach des nouvelles technologies et des attentats du 11 septembre, sonna le glas de la mondialisation heureuse et des utopies qu'elle encourageait. Pour s'être poursuivi, le cycle de la mondialisation fut happé par l'histoire réelle, tissée de guerres, de crises et de révolutions. La dynamique de violence et de peur enclenchée par le terrorisme s'est traduite par un retour en force de la guerre, y compris au sein des démocraties.

Surtout, le déséquilibre entre l'emballement de la mondialisation économique et l'absence de mondialisation politique, le caractère universel du capitalisme et le maintien d'un cadre principalement national pour sa régulation ont provoqué une cascade de bulles spéculatives toujours plus amples et dangereuses, qui ont atteint leur paroxysme avec l'effondrement du crédit en 2008. Faute d'institutions et de règles adaptées, la mondialisation a vu s'accumuler dans la décennie 2000 des tensions majeures.

Entre l'hyperconsommation à crédit du Nord et l'hypercroissance des nouvelles superpuissances du Sud tirée par les exportations.

Entre le double déficit commercial et public des Etats-Unis et les gigantesques excédents de la Chine (2 000 milliards de dollars).

Entre le rôle international d'un dollar adossé à une économie affaiblie et la non-convertibilité du yuan.

Entre la stabilisation du cycle économique à partir de 2005 et l'explosion du crédit, associée à la sous-évaluation du risque, provoquant une instabilité financière croissante à partir de 2001.

Entre la croissance et la progression des inégalités au sein des pays riches et émergents.

Entre la stagnation du revenu médian et l'explosion du prix des actifs et de la rémunération du capital.

Entre le développement du Sud et la pression sur l'environnement, et la concurrence pour l'accès aux sources d'énergie et aux matières premières.

Ces tensions ont éclaté à l'été 2007, faisant basculer la mondialisation, naguère triomphante, dans l'inconnu. La violence de la crise qui l'affecte aujourd'hui est à la mesure des progrès qu'elle a produits durant trois décennies.

Sur le plan économique, la mondialisation a permis à la croissance mondiale de renouer avec un rythme de 4,5 %, comparable à celui des années 1920 ou des années 1960. La croissance fut soutenue par la progression du commerce international de 8,5 % par an et par l'essor des investissements directs, liés à la constitution de groupes planétaires, d'entreprises plates-formes se concentrant sur l'innovation, l'assemblage et le marketing, tout en sous-traitant une large partie des opérations de production.

Sur le plan social, la quasi-totalité des pays développés retrouva le plein-emploi – avec des taux de chômage inférieurs à 5 % de la population active aux Etats-Unis, au Canada, au Japon ou au Royaume-Uni –, au prix de la modération des salaires, la hausse du pouvoir d'achat étant assurée par la baisse de la plupart des prix industriels et financée par l'extension du crédit. C'est cependant dans les pays émergents que les progrès furent les plus spectaculaires, avec une forte hausse des taux de croissance : jusqu'à 10,5 % en Chine, 6,5 % en Inde, 6 % en Russie et 5 % au Brésil. Concentré autour des superpuissances du Sud, le décollage économique s'est ensuite diffusé sur des continents entiers : en Asie (8 % de croissance), en Amérique latine (4,5 %), mais aussi en Afrique (6,1 %). Le développement, fondé sur les migrations rurales vers les villes, sur de très forts gains de productivité et la convergence technologique avec les pays développés, a ainsi permis à près d'un milliard d'hommes, dont plus de 400 millions en Chine et en Inde, de sortir de la pauvreté, tandis que l'espérance de vie s'améliorait de plus de huit ans dans les pays en voie de développement. La mondialisation a également bouleversé la hiérarchie des nations et des continents, réalisant ce que les tiers-mondistes avaient vainement rêvé : assurer le décollage du Sud et faire naître un système économique multipolaire, émancipé de la domination de l'Occident. La croissance fut en effet très inégalement répartie. En dehors des Etats-Unis et du Canada (3,5 %), elle resta limitée dans le monde développé : croissance molle en Europe (1,6 %), à l'exception du Royaume-Uni et de l'Irlande, de l'Espagne et des nouvelles démocraties ; croissance quasi nulle au Japon (0,8 %), enfermé dans une interminable déflation issue de la gestion désastreuse du dégonflement de la bulle immobilière, au début des années 1990.

Les vainqueurs furent les pays du Sud, qui assurent désormais 50 % du produit intérieur brut (PIB) et un tiers des exportations de la planète,

accumulant les trois quarts des réserves financières mondiales et une force de frappe de près de
3 400 milliards de dollars *via* leurs fonds souverains. Au sein des pays émergents, la Chine a
accompli les progrès les plus fulgurants, s'impo-
sant comme la deuxième économie de la planète
et, en 2008, comme l'interlocuteur obligé des
Etats-Unis dans la gestion de la crise. Elle est
devenue l'usine du monde, tandis que l'Inde devenait son centre de services et le Brésil son grenier.
Avec, à la clé, la constitution de groupes puissants
et mondialisés qui ont racheté certains de leurs
concurrents, y compris dans le monde développé
– à l'exemple de l'offre hostile réussie par Mittal
Steel sur Arcelor, en 2006. En 2007, les quatorze
pays émergents alignaient une centaine d'entreprises concourant pour le leadership mondial dans
des secteurs variés : informatique, électronique,
téléphonie, chimie, mines, sous-traitance automobile, pétrole, transports. La mondialisation s'est
révélée comme le vecteur de développement du
Sud, vers lequel s'est déplacé le centre de gravité
du capitalisme.

L'universalisation du capitalisme et son basculement vers le Sud sont allés de pair avec une
intense modification de la structure productive.
Dans les pays du Nord, l'industrie a nettement
reculé sous l'effet des délocalisations, à la notable
exception de l'Allemagne et du Japon : depuis
1990, l'emploi industriel a diminué de 25 % aux
Etats-Unis, de 20 % au Royaume-Uni, de 8 % dans
la zone euro. La croissance a été tirée par les nou-

velles technologies, mais surtout par les services financiers et l'immobilier, alimentés par la bulle spéculative sur le crédit. Ainsi la City s'est-elle développée, jusqu'à représenter près du quart du PIB britannique. En Espagne, la construction a pris une telle ampleur qu'elle a atteint 16 % du PIB, avec 700 000 des logements neufs réalisés chaque année, soit la moitié de la production américaine. Cette hypertrophie des services financiers et de l'immobilier, fondée sur la faiblesse des taux d'intérêt, la sous-évaluation du risque et l'emballement de la titrisation*, a fourni le socle de la croissance forte des Etats-Unis, du Royaume-Uni, de l'Espagne ou de l'Irlande, avant de les précipiter dans une crise durable.

En 2007, la bulle explose

Cependant, certaines nations développées se sont écartées de ce modèle. L'Allemagne, tout d'abord, qui a rétabli la compétitivité de son industrie par un intense mouvement de restructuration de ses grandes entreprises, ce qui lui a permis de redevenir le premier exportateur mondial (960 milliards d'euros dégageant un excédent commercial de 195 milliards en 2007). Le Japon, ensuite, qui a relocalisé ses activités et ses compétences stratégiques. La Suède, enfin, qui a conjugué la rationalisation de son secteur public (dont les dépenses ont diminué de 62 % à 52 % du PIB) à un investissement massif dans l'économie de la connaissance (effort de recherche de 4,2 % du PIB). Dans le même temps, l'entrée sur le marché du travail, en Asie, mais aussi en Amérique latine, de centaines de millions de paysans avec des rémunérations très faibles a fait basculer des pans entiers de l'industrie des biens d'équipement et de consommation vers le Sud, notamment à travers la délocalisation de nombreuses activités de sous-traitance. La crise née en 2007 est la plus dange-reuse depuis la déflation des années 1930. Elle trouve sa source première dans la bulle de crédit qui s'est constituée à partir de 2002, alimentant une formidable inflation des actifs immobiliers, financiers, non cotés, énergétiques. Comme toute bulle, elle comporte des traits permanents et des singularités. Au titre des invariants, on trouve les illusions et les passions nourries par l'espoir d'un enrichissement rapide et facile. S'y ajoute une erreur majeure de politique monétaire liée au laxisme de la FED dans la gestion des taux d'inté-rêt à partir de 2002, ainsi que sa confiance infon-dée dans le mythe d'une autorégulation des marchés. Au titre des spécificités, on trouve la structure de l'économie mondialisée et intercon-nectée – qui explique l'universalité et la rapidité de la propagation du choc –, le support de la spé-culation fourni par la titrisation, l'effet amplifica-teur du principe de comptabilisation en valeur de marché (normes IFRS) et des règles de solvabilité des institutions financières (dites de « Bâle II »).

La nature du choc qui ébranle la mondialisa-tion correspond à la déflation par la dette, telle qu'elle a été définie par l'économiste américain Irving Fisher dans *The Debt-Deflation Theory of Great Depressions*, publié en 1933. Selon lui, la faiblesse du coût de l'argent provoque une spirale inflationniste du coût des actifs. Leur rendement se dégrade au moment où les taux d'intérêt augmentent et l'euphorie se transforme alors en panique, provoquant un effondrement du crédit, une baisse auto-entretenue des actifs en raison des cessions forcées, des faillites bancaires en chaîne, puis une cascade de défauts d'entreprise... La sortie de crise se dessine lorsque la restructuration des banques permet de réalimenter le crédit aux entreprises et aux ménages, ce qui réamorce le cycle économique.

De fait, la chronologie de la crise a été rythmée par les tensions sur les banques, le crédit et les monnaies. Ainsi de l'arrêt du système bancaire, le 9 août 2007 ; de l'adossement de la banque américaine Bear Stearns à JP Morgan Chase sous la houlette de la FED, le 17 mars 2008 ; de la nationalisation des deux agences américaines de crédit hypothécaire Fannie Mae et Freddie Mac, puis de la faillite de Lehman Brothers, le 15 septembre 2008 ; du blocage du crédit dans le monde développé et de la plongée de l'Europe et du Japon dans la récession ; de l'éclatement du scandale Bernard Madoff, le 12 décembre 2008 ; de l'extension de la crise aux pays émergents ; des dévaluations compétitives des monnaies émergentes – yuan et rouble en tête – et de la livre sterling, qui ouvrent la voie à une possible reconstitution de barrières protectionnistes*.

Les effets de ce sinistre financier ont été dévastateurs. Depuis l'été 2007, plus de 40 000 milliards de dollars de richesses ont été détruits, dont 14 000 aux Etats-Unis (soit un an de production). Les principales banques occidentales ont passé 1 000 milliards de dollars de dépréciations* et levé plus de 500 milliards de capitaux supplémentaires (couvrant un cinquième de leurs pertes potentielles estimées autour de 2 500 milliards). Mettant un terme à quinze ans de développement flamboyant, le rythme de la croissance mondiale est tombé de 5,5 % par an à 0 %, prévu en 2009. Aucun secteur d'activité n'est épargné.

Tout s'effondre

Si la finance, avec la quasi-disparition de la banque d'investissement, et la construction acquittent le prix le plus élevé, l'automobile, l'aéronautique, le transport, le luxe, la distribution, le tourisme voient la demande s'effondrer, mais aussi leur modèle économique remis en question. Partout le chômage s'envole, revenant vers des étiages comparables à ceux de la fin des années 1970 : augmentation de 51 millions en 2009 du nombre de chômeurs selon l'Organisation internationale du travail en 2009 ; hausse du taux de chômage de 4,2 % à 7,6 % de la population active aux Etats-Unis (avec un risque de le voir s'élever jusqu'à 10 %), de 4,6 % à 6 % au Royaume-Uni, de 8 % à 12 % en Espagne (où il pourrait atteindre 20 %)... La Chine renvoie dans les campagnes quelque 10 millions de personnes privées d'emploi, suscitant des émeutes. Partout, déficits et dettes publics explosent en raison des plans de sauvetage des banques et de soutien de l'activité : ainsi les prévisions pour 2009 portent sur un déficit de 8 % du PIB et une dette progressant de 43 % à 50 % au Royaume-Uni, un déficit de 8 % et une dette de 72,5 % du PIB aux Etats-Unis, un déficit de 5 % et une dette de 70 % du PIB en France.

Les positions et les stratégies des Etats se trouvent ainsi bouleversées. Les Etats-Unis sont en situation de faillite. Le désendettement des ménages (134 % du revenu disponible) nécessitera du temps et maintiendra durablement la croissance en dessous de son potentiel ; le sauvetage des banques est loin d'être achevé, comme le montre la nationalisation *de facto* de Citigroup et Bank of America ; le déficit commercial atteint 630 milliards de dollars, alors que les indispensables efforts de productivité de l'appareil productif sont bloqués par l'attrition[1] de l'investissement et la cessation des paiements de nombreux secteurs, l'automobile en tête.

---

1. Le taux d'attrition permet de mesurer le pourcentage de clients perdus ou prêts à fuir.

Quant à la zone euro, elle est menacée d'une déflation à la japonaise, en raison du retard à la baisse des taux de la Banque centrale européenne (BCE) et de la lenteur qui en résulte dans l'assainissement des bilans bancaires. Certains pays se découvrent en situation de banqueroute. L'Islande est passée sans transition d'une opulente prospérité à la mise sous tutelle par le Fonds monétaire international (FMI), le 17 novembre 2008, du fait d'un déficit de 15 % du PIB de la balance des paiements provoqué par la défaillance de ses banques. La Chine, enfin, symbole des émergents, se voit contrainte de réorienter son modèle économique vers la demande intérieure à la suite de la chute de ses exportations et de la poussée du chômage.

La crise bouscule les marchés et les Etats, mais aussi les cœurs et les esprits. Nombre des principes qui ont présidé à la mondialisation se sont révélés erronés. A commencer par l'autorégulation des marchés, la diminution des risques par leur découpage et leur dissémination, la toute-puissance de la politique monétaire, la capacité illimitée des Etats-Unis à réassurer les chocs... Dans le même temps, la mobilisation des Etats pour secourir des marchés à l'agonie réhabilite l'intervention publique ; les excès de la spéculation soulignent la faiblesse des contrôles et appellent une régulation et une supervision plus efficaces des marchés et de leurs acteurs (transformation bancaire et levier du crédit, transactions hors marchés, courtiers*, agences de notation, produits dérivés et titrisation, paradis fiscaux, rémunération des opérateurs...) ;

l'appel généralisé au contribuable pour conforter le système bancaire accroît la révolte contre les inégalités et milite pour un nouvel équilibre entre les revenus du travail et du capital. Une nouvelle révolution, inverse de 1979, se dessine, qui voit Keynes prendre sa revanche sur Schumpeter, les revenus et le travail revenir au premier plan face aux actifs et au capital. Dans le même temps, tout choc déflationniste, parce qu'il lamine les classes moyennes qui constituent le socle des démocraties, encourage l'extrémisme, le populisme, le protectionnisme, comme l'illustre le scandale Madoff, qui suscite une flambée d'antisémitisme. Toutes ces forces conduisent à un nouveau changement dans la régulation du capitalisme, en rupture avec la mondialisation des trois dernières décennies.

Aujourd'hui, le processus de crise se déroule à une vitesse inédite. D'un côté, la contraction du crédit entraîne des vagues de faillites et une hausse violente du chômage, avec un risque de spirale déflationniste. De l'autre, après un an d'atermoiements, une mobilisation sans précédent des instruments de la politique économique a été décrétée au plan planétaire, tandis qu'est engagée une refonte des principes juridiques, financiers, comptables et éthiques du capitalisme mondialisé. Comme les guerres et les révolutions, les crises économiques jouent un rôle d'accélérateur de l'histoire, mettant au grand jour une nouvelle donne entre les entreprises, les nations et les continents.

La crise a d'abord été sous-estimée par les dirigeants d'entreprise comme par les politiques et les autorités monétaires. Ce n'est qu'à partir du blocage du crédit, le 15 septembre 2008, que la nature et la gravité du choc ont été perçues et que les conséquences en ont été tirées. Avec trois priorités : sauver le système bancaire ; soutenir l'activité et l'emploi, pour éviter la déflation ; privilégier les solutions coordonnées, afin de prévenir la course destructrice aux mesures protectionnistes et aux dévaluations compétitives.

Vers un nouvel ordre mondial

Au total, l'ensemble des mesures annoncées par les Etats-Unis atteignent plus de 6 500 milliards de dollars, soit 40 % du PIB. La Chine n'est pas en reste qui, confrontée à la diminution de ses exportations qui représentent 40 % de son PIB, a mobilisé 586 milliards de dollars pour dynamiser sa consommation intérieure. L'Union européenne, à défaut d'une relance coordonnée, a suspendu pour sa part les critères de Maastricht et voit se multiplier les plans de relance nationaux, qui portent sur environ 250 milliards d'euros.

Parallèlement, une capacité exceptionnelle de réaction et d'innovation est apparue, et ce alors même que (ou peut-être parce que) les Etats-Unis ont connu un impressionnant vide de leadership lié à l'agonie de l'administration Bush. Sur le plan mondial, le G8 a été élargi en G20, rassemblant les dirigeants des nations comptant pour 85 % de l'activité mondiale. Ensemble, ils ont pris position contre le recours au protectionnisme. La réforme du FMI et du Forum de stabilité a été lancée. Sur le plan monétaire, des baisses concertées des taux d'intérêt ont été engagées par les principales banques centrales – y compris la banque de Chine. Sur le plan comptable, le principe de la comptabilisation en valeur de marché a été suspendu. En Europe, s'est dessiné un gouvernement économique de l'Union sous la forme d'un Eurogroupe élargi au Royaume-Uni, le 12 octobre 2008, qui a défini un cadre commun pour le sauvetage des banques et mobilisé 1 900 milliards d'euros.

L'élection de Barack Obama ouvre la voie à un New Deal du XXIe siècle et à une réinvention du rêve américain, qui ressouderait les Etats-Unis et les réconcilierait avec la communauté des nations. La Chine, forte de ses « Trente Glorieuses », réoriente son modèle de développement vers la demande intérieure et assume une part de responsabilité dans le pilotage de l'économie mondiale qu'elle entend partager avec les Etats-Unis. L'Europe s'est réveillée, jouant, sous l'impulsion de la France, le premier rôle dans la gestion de la crise bancaire et dans la future régulation du capitalisme.

Quelle que soit la durée de la crise, le capitalisme mondialisé en sortira transformé. Les mythes de l'autorégulation des marchés, de l'omnipotence de la politique monétaire, de l'hyperpuissance des Etats-Unis ont été réduits à néant. Le rôle des

Etats est à présent réhabilité face aux marchés, ce qui ouvre la voie à une remontée des interventions publiques dans l'économie, indissociable d'une hausse des dépenses et de prélèvements dans la plupart des pays développés, Etats-Unis en tête. Le mouvement de dérégulation s'inversera, en premier lieu dans le secteur financier, avec le renforcement conjoint des règles et des autorités de contrôle. Une inflation mesurée sera sans doute indispensable pour contribuer au désendettement des Etats. La balance se rééquilibrera entre les revenus du travail et ceux du capital, tandis que les profits des entreprises devront être dégagés à partir de leur compte d'exploitation et non plus du jeu sur les actifs figurant à leur bilan. La protection de l'environnement s'impose comme une priorité des stratégies de développement. Enfin, face à un monde développé affaibli, les nations émergentes sont en position de force et poursuivront leur rattrapage jusqu'à représenter environ 65 % du PIB mondial en 2005.

« *La seule chose que nous devons craindre, c'est la peur elle-même* », avait lancé Franklin Roosevelt comme mot d'ordre du New Deal, en 1933. La mondialisation est aujourd'hui écartelée entre un risque de désintégration dû à la panique, ou bien l'engagement d'une nouvelle étape qui permettra de doter le capitalisme universel d'institutions politiques capables de le réguler et de le stabiliser.

Les « golden boys », héros des années 1980

« *Tous des crétins ! La prochaine fois, tu lui diras que l'argent, c'est le crédit, tu m'entends ? [...] Tout le truc, c'est justement de faire travailler l'argent des autres.* » Ainsi parlait JR, héros du roman du même nom, un gamin de 11 ans, descendu des faubourgs de New York avec sa classe pour visiter Wall Street, où il est touché par la grâce du capitalisme boursier. Avec ce livre, publié en 1975, William Gaddis inaugurait les « golden years ».

Le « golden boy » spécule sur des échanges de soldes de trésorerie entre banques, auxquels il ne peut pas participer à moins de disposer de 1 milliard de francs, début 1980, et du double, cinq ans plus tard : ni le rentier, ni l'entrepreneur ordinaire, pas même le gestionnaire de compte ne sont admis dans ce genre de club, où les règles d'entrée sont à la fois officieuses et très strictes. Bref, « l'argent caché » a quitté les lessiveuses ou les coffres-forts pour atterrir sur les écrans des ordinateurs qui gèrent les transactions entre les sociétés off-shore des îles Caïmans et les paradis fiscaux suisses ou luxembourgeois. Mais il sert toujours à financer cette sorte de troc immatériel où l'ingérence, l'information, le détournement des marchés permettent des profits considérables.

D'après Anthony Rowley, « Sa Majesté l'argent ! »,
L'Histoire n° 204, pp. 70-73.

Le décollage des pays émergents

La mondialisation a favorisé l'essor des pays en voie de développement, qui s'accompagne d'un déclin relatif des pays développés dans la production mondiale.

Répartition de la production mondiale depuis 1973 (en pourcentage)

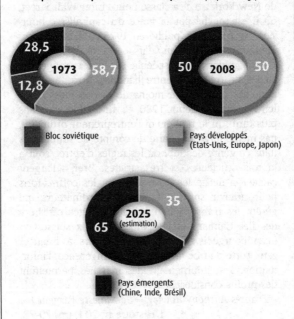

Bloc soviétique

Pays développés
(Etats-Unis, Europe, Japon)

Pays émergents
(Chine, Inde, Brésil)

De Stavisky à Madoff : l'arnaque se répète

Stavisky et Madoff partagent la même technique de fraude, dite de la « pyramide de Ponzi* » : ce système de cavalerie financière consiste à tenir les promesses de rémunération garantie à un niveau très élevé faites aux premiers clients, grâce à l'argent versé par les investisseurs suivants. L'affaire Madoff demeure néanmoins exceptionnelle par sa dimension (50 milliards de dollars), par sa durée (plus de vingt ans) et par ses répercussions internationales, faisant des victimes des Etats-Unis à la Russie, en passant par l'Europe et Israël.

Alexandre Stavisky, né en 1886 près de Kiev, en Ukraine, émigra en France où il se spécialisa dans des escroqueries ordinaires, du chèque sans provision au recel. Arrêté et incarcéré en 1926, il fut libéré dix-huit mois plus tard sans jugement, grâce à de nombreuses interventions politiques. En 1931, ses activités illégales prirent une nouvelle dimension avec la création du Crédit municipal de Bayonne, qui émit pour 235 millions de francs de bons gagés, pour l'essentiel (215 millions), sur de faux bijoux ou des dépôts inexistants. Un contrôle du ministère des Finances révéla ces irrégularités à l'automne 1933. Le directeur de la banque, Gustave Tissier, arrêté le 23 décembre 1933, se révéla être l'homme de paille du député-maire de Bayonne, Dominique-Joseph Garat, et surtout d'Alexandre Stavisky. Recherché, celui-ci fut retrouvé à l'agonie dans son chalet de Chamonix et mourut le 9 janvier 1934. La thèse officielle du suicide fut cependant mise en doute et *Le Canard enchaîné* titra : « Stavisky se suicide d'un coup de revolver qui lui a été tiré à bout portant ».

L'affaire Stavisky se transforma en scandale politique. Ses victimes s'ajoutaient à celles de banques Oustric et Hanau, dans une période marquée par une baisse de l'activité et l'envolée du chômage. Les soutiens politiques dont avait bénéficié Stavisky soulevèrent une bouffée d'antiparlementarisme et d'antisémitisme. La démission d'Albert Dalimier, ministre des Colonies et ancien garde des Sceaux, puis de celle du gouvernement Chautemps, le 27 janvier 1934, alimentèrent le procès contre la corruption de la IIIe République. Les troubles culminèrent avec l'émeute du 6 février 1934, organisée à l'appel de l'Action française et des ligues. La journée, qui faillit provoquer la chute de la République, fit 14 morts et des centaines de blessés. Elle fut à l'origine du Front populaire, amorçant la guerre civile larvée qui caractérisa la France durant les années 1930, avec pour point d'orgue la débâcle de juin 1940.

Bernard Madoff est né en 1938 à New York. Sa société de courtage, créée en 1960, devint l'un des principaux intermédiaires de Wall Street. Comprenant très tôt le poids de l'informatique, il joua un rôle majeur dans le développement du Nasdaq*, la Bourse électronique dont il présida plusieurs années le Conseil d'administration. Parallèlement à ses activités de courtier*, Bernard Madoff se lança dès la fin des années 1980 dans le conseil et la gestion de biens, sur lesquels il greffa une activité opaque de fonds d'investissement. Il garantissait à une clientèle très fortunée et à des institutions cooptées *via* des fonds rabatteurs (Fairfield Greenwich Goup, Luxalpha, Herald, Thema Fund...) une rémunération stable de 11 % à 12 %, soi-disant fondée sur son mode de rémunération en fonction du volume

des transactions. En dépit de plusieurs dénoncia-
tions et de multiples contrôles de la Securities and
Exchange Commission, il ne fut jamais mis en diffi-
culté avant l'effondrement des marchés, en 2008. La
crise financière poussa alors nombre d'investisseurs
à demander le remboursement de leurs avoirs. Le
système s'effondra, mettant au jour 50 milliards de
dollars de pertes. Bernard Madoff a été arrêté et
inculpé le 12 décembre 2008.

L'enquête conduite par le FBI est très loin d'être
achevée. Outre l'escroquerie fondée sur la pyramide
de Ponzi*, elle pourrait révéler des délits de manipulation de cours et des pratiques d'évasion fiscale
à vaste échelle. En attendant, l'affaire déchaîne à
nouveau les passions antisémites, tandis que les
révélations sur l'inertie, voire la complicité des autorités alimentent les critiques du capitalisme et de la
démocratie. Sur le plan économique, le scandale
Madoff porte le coup de grâce au mythe de l'autorégulation des marchés. En décrédibilisant la finance,
il renforce la nécessité d'une réglementation et
d'une supervision internationales.

N. B.

La revanche du Sud

En un demi-siècle, la face du monde a changé. Finie l'opposition entre un tiers monde, qui centralisait tous les maux du sous-développement, et un Occident victorieux tirant sa suprématie d'être la seule région entrée dans la révolution industrielle au XIXᵉ siècle, concentrant la production, les richesses, le savoir, et dominant le globe.

Aujourd'hui, le centre du monde n'est plus l'Atlantique, mais le Pacifique. Alors que le moteur de la précédente mondialisation* (celle qui a accompagné les grandes découvertes et la révolution industrielle), était centré sur les échanges Europe-Etats-Unis, le cœur battant de la globalisation s'est déplacé vers l'Asie qui est en train de retrouver la place centrale qu'elle occupait avant l'ère coloniale. Plus exactement, vers l'axe de développement que constitue la façade Pacifique de la Chine, un corridor articulé autour des échanges maritimes, des littoraux et de leurs immenses deltas rizicoles, des villes géantes adossées à des ports en pleine expansion. Karl Marx avait pressenti ce retournement du monde, lui qui écrivait en 1858 : « *Le Pacifique jouera le rôle tenu maintenant par l'océan Atlantique, et au Moyen Âge par la Méditerranée : le rôle de la grande route maritime du trafic mondial.* »

Des géants ambitieux

Tirant la croissance* de l'Argentine et du Brésil, fournisseurs de produits agroalimentaires, et massivement présente dans les villes africaines, la Chine est devenue le nouveau moteur de l'économie mondiale : elle entraîne dans son sillage, par l'ampleur de sa demande et de ses besoins, bien des pays émergents. Les Chinois se sont donné pour objectif de rattraper les Etats-Unis d'ici à 2050 et c'est pourquoi il leur faut « *cinquante ans de paix* ». Trois cents millions de personnes y sont sorties de la pauvreté depuis la libéralisation décrétée par Deng Xiaoping en 1979. Au cours des « Trente Glorieuses » chinoises (1979-2009), avec un taux de croissance du produit national brut (PNB) de 10 % par an en moyenne, la Chine a effectué une triple mutation : elle est passée d'une économie étatique et planifiée à une économie de marché ; d'une économie rurale et agricole à une économie urbaine et industrielle ; de l'autarcie à l'ouverture au monde. Si on lui adjoint l'Inde – entrée plus tard dans le même processus (son ouverture et sa libéralisation ne datent que de 1991), mais elle aussi en forte croissance – c'est plus du tiers de l'humanité qui a changé de statut en moins d'une génération.

Ces deux nouveaux géants économiques et politiques ne font pas mystère de leur ambition de puissance. Ainsi de leur offensive diplomatique et financière dans les pays du Sud ; du rachat d'entreprises leaders de l'Occident (par exemple, dans la sidérurgie, avec Arcelor-Mittal, ou dans l'informatique, quand Lenovo, une entreprise chinoise à capitaux d'Etat, a pris les rênes de la division PC d'IBM). Ainsi encore du sauvetage des banques et des fonds d'investissement les plus en danger lors de la dernière crise* financière, avant même que les gouvernements du Nord prennent la relève, inquiets de cette mainmise progressive et insidieuse sur les points névralgiques de leurs économies. Ou encore de leur appétit de terres agricoles dans les grands pays pauvres et vulnérables (Mongolie, Madagascar, Soudan...).

La Chine et l'Inde ne sont pas les seules à émerger. L'immense Brésil, désormais premier pays exportateur de produits agricoles au monde, avec son front pionnier de l'Ouest gagné par la fièvre du soja, prétend, lui aussi, jouer un rôle de premier plan sur la scène internationale. Ne serait-ce que par la « diplomatie de l'éthanol », qui lui permet, *via* les agrocarburants, de se positionner sur le marché des énergies renouvelables et du développement durable. Le Mexique et la Corée du Sud, quant à eux, ont déjà rejoint l'Organisation de coopération et de développement économiques (OCDE). Et la Malaisie, l'Afrique du Sud, l'Egypte ou la Turquie peuvent être considérés comme des pays plus qu'émergents.

En novembre 2008, à Washington, la réunion des chefs d'Etat du G20 témoigne-t-elle d'un renversement du monde, fondé sur la revanche du Sud, tandis que les pays du Nord s'enfoncent dans la crise et le vieillissement de leurs populations ? D'une certaine façon, oui. Encore récemment, le Nord détenait les capitaux, le Sud la dette. Aujourd'hui, les fonds souverains appartiennent majoritairement aux pays du Sud, ceux du golfe Persique et de l'Asie orientale en tête. La plupart des pays émergents ont profité du boom des matières premières, tiré par les exportations à la demande des classes moyennes du Sud, pour rembourser leur dette au Fonds monétaire international (FMI), qui jusque-là leur dictait sa loi *via* les fameux plans d'ajustement structurel. Au point qu'avant octobre 2008, on s'interrogeait sur le rôle résiduel d'une institution financière qui paraissait être un vestige de l'ordre moribond issu de la Seconde Guerre mondiale, en voie d'obsolescence accélérée. Même l'Afrique, si mal partie lors de la décennie du chaos (1991-2001), a en partie annulé sa dette et atteint des taux de croissance « à la chinoise ».

Quelques indices montrent que ce retournement est en marche. Le « pacte colonial », qui enfermait le tiers monde dans l'exportation de produits primaires en échange des marchandises que lui vendait le Nord développé, est aujourd'hui inversé. Non seulement les délocalisations ont fait des pays du Sud de grands exportateurs de produits manufacturés, mais leur industrialisation tardive leur a permis des raccourcis technologiques que ne peuvent effectuer les vieux pays industriels, ralentis par les pesanteurs héritées du passé. La Corée du Sud est devenue le leader mondial du numérique, le Brésil occupe l'une des toutes premières places en matière d'informatique et de satellites, la Chine dépense des fortunes en recherche et développement, l'Inde s'est spécialisée dans les services et ses ingénieurs sont recherchés dans le monde entier. Même Cuba exporte ses médecins !

Effet boomerang

La grande crise financière de l'automne 2008 a pu laisser croire que ce processus de retournement était arrivé à son terme : le Nord pourrissant par la tête, le Sud prenait la relève. Dans un premier temps, les articles qui paraissent dans la presse des pays émergents accréditent cette interprétation. L'Afrique affirme qu'elle ne sera pas frappée, la Chine et l'Inde observent avec une curiosité mêlée de compassion les soubresauts du Nord.

Après quelques mois d'insouciance, les pays du Sud sont touchés de plein fouet par un effet boomerang. En Chine, les faillites en chaîne viennent rappeler que le principal marché des industriels n'est pas la classe moyenne chinoise, mais ces pays du Nord qui s'enfoncent dans la crise. Deux tiers des exportations du pays sont assurés par les filiales d'entreprises étrangères. La chute de la consommation au Nord affecte durement la santé de l'économie chinoise et des millions de travailleurs retournent dans les campagnes. Les autres pays émergents connaissent les mêmes difficultés.

En réalité, la croissance de l'ancien tiers monde était tirée par les achats du Nord. La relève interne est encore insuffisante. D'autant plus insuffisante que la plupart de ces pays ont cru pouvoir s'accommoder de la pauvreté extrême des paysans. Ces derniers n'ont pas eu le temps de tirer parti de la flambée des prix alimentaires du printemps 2008, tant les récoltes record de l'été ont suscité un effondrement généralisé des prix d'où le sentiment d'un rendez-vous manqué. Au moment où le monde prend enfin conscience de la nécessité de ne pas sacrifier la paysannerie – dont l'élévation du pouvoir d'achat par des prix rémunérateurs et garantis constitue le gage de la constitution d'un marché intérieur –, la crise financière vient faire oublier la crise alimentaire et aspirer les financements qui auraient pu – dû – être consacrés au développement agricole.

Le Brésil du président Lula, qui met en œuvre le programme « Faim zéro », l'Inde, dont le Premier ministre Manmohan Singh a lancé en 2005 un « New Deal » en direction des pauvres, tout comme la Chine, dont le parti communiste veut désormais *« prendre moins et donner plus »* aux campagnes afin de mettre en œuvre une *« société harmonieuse »*, sont pleinement conscients de cette nécessité de soutenir les campagnes. Dans les villes géantes du Sud, grossies par un exode rural largement dû à la misère, l'emploi n'a pas suivi. La désarticulation et le dualisme, dont l'économiste Arthur Lewis, dans les années 1950, faisait déjà la caractéristique et le principal handicap des économies sous-développées, sont toujours d'actualité. La nouveauté, c'est que l'effondrement des services sociaux et de l'Etat-providence* dans les pays développés, ouvert par l'ère Reagan et Thatcher, a aussi créé du dualisme et de la désarticulation au Nord.

Pour résumer, si le Sud s'est développé, c'est imparfaitement. Et si le Nord s'est sous-développé, c'est en conservant sa suprématie et son apanage. D'une certaine manière, la crise financière survient trop tôt. Et les anciennes positions dominantes, que l'on croyait chancelantes, se raffermissent à la faveur de la contagion de la crise au Sud. Le FMI reprend ainsi ses prêts et ses conditionnalités, comme si les critiques virulentes contre les méfaits du « consensus de Washington » (qui imposait, à des Etats trop pris à la gorge pour se débattre, l'ouverture des frontières, la flexibilité de la main-d'œuvre, la privatisation de l'économie et la dérégulation du marché des capitaux) n'avaient pas été entendues.

La mondialisation doit-elle pour autant être rendue responsable ? Elle ne porte pas une responsabilité pire que les politiques d'autosuffisance et de fermeture des années d'après-guerre qui, en suscitant l'asphyxie des économies du Sud, ont débouché sur la crise de la dette des années 1980. Et Cuba, la Corée du Nord et la Birmanie sont là pour nous rappeler à quelles aberrations les politiques de « développement autocentré » ont pu conduire : si les frontières s'ouvraient, leurs populations s'exileraient en masse. Cependant, on peut tirer quelques leçons des erreurs et des réussites enregistrées. La première, c'est que la mondialisation sans régulation engendre la piraterie, les paradis fiscaux, l'économie illicite et tous les trafics, à commencer par le plus terrible d'entre eux, celui des êtres humains. Elle doit être régulée par des organismes ayant la légitimité et le pouvoir d'imposer des règles supranationales sur des questions aussi essentielles que l'environnement, les normes sanitaires et sociales, les migrations, le commerce. Mais leur efficacité est conditionnée à l'existence d'Etats forts, seuls capables de répercuter leurs décisions à l'échelle des territoires, de les mettre en œuvre et de veiller à leur application.

La deuxième, c'est que la croissance économique sans politique sociale n'engendre qu'une aggravation des inégalités et la montée des conflits redistributifs, donc la violence. Là encore, les Etats ont un rôle essentiel à jouer, car ils occupent un maillon intermédiaire essentiel entre le marché mondial et les sociétés civiles, certes foisonnantes et créatrices, mais qui s'épuisent lorsqu'elles ne bénéficient pas d'un cadre sécurisant. La démocratie participative n'est jamais plus efficace que lorsqu'elle s'exerce dans le cadre d'une vraie démocratie élective.

La troisième, c'est que face aux grands problèmes mondiaux, les réponses doivent pouvoir être mises en œuvre dans un cadre régional, par continent ou sous-continent (Afrique subsaharienne, Asie du Sud, Amérique du Sud ou centrale...). Aussi nécessaire soit-il, le pouvoir des Etats s'exerce dans un cadre trop limité. Ni les hommes, ni les marchandises, ni les maladies, ni les pollutions ne s'arrêtent aux frontières nationales. Seule la constitution de blocs régionaux, unis par des ambitions communes, permettra de mettre en œuvre des politiques efficaces dans chacun de ces domaines, tout en faisant jouer les complémentarités avec le reste du monde. Comme l'Amérique latine, l'Asie orientale ou la Méditerranée, l'Afrique l'a bien compris, qui essaie de créer aujourd'hui une Union africaine calquée sur le modèle de l'Union européenne.

Si la crise financière n'a pas rebattu les cartes, elle a cependant rappelé quelques fondamentaux : pas de croissance durable sans redistribution, pas de mondialisation vertueuse sans Etats forts, pas d'économie sans régulation politique.

« Les pauvres sont l'avenir du capitalisme* »

Considéré par l'ancien président américain Bill Clinton comme le « *plus grand économiste vivant* », Hernando de Soto est né en 1941, à Arequipa, au Pérou. Diplômé du prestigieux Institut universitaire des hautes études internationales (IUHEI) de Genève, il devient, après un passage dans la finance, gouverneur de la Banque centrale* du Pérou. Il fonde, en 1980 à Lima, l'Institut pour la liberté et la démocratie (ILD), dont la mission est de promouvoir les réformes institutionnelles permettant aux pays émergents d'entrer dans l'économie moderne. Il initie la réforme agraire du Pérou, mise en place par le président Fujimori, au début des années 1990. Plus d'un million de familles et 308 000 entreprises, qui vivaient auparavant du marché noir, intègrent ainsi l'économie officielle.

Fort de ces expériences, Hernando de Soto élabore une théorie du développement des pays émergents qu'il expose, en 2000, dans *Le Mystère du capital*. Il y explique pourquoi les pauvres du tiers monde restent pauvres, faute notamment de titres de propriété en bonne et due forme, et affirme : « *Les pauvres ne sont pas le problème, ils sont la solution.* » Et d'appeler de ses vœux une « *révolution juridique* », qui permettrait aux plus démunis, paysans pauvres ou travailleurs clandestins des villes, de transformer leur épargne en capital, ou leur « *capital mort* » en capital vivant, c'est-à-dire capable de dégager de la plus-value. Pour en prendre la mesure, il suffit de savoir que la valeur totale des biens immobiliers détenus par les pauvres des pays du tiers monde et de l'ancien bloc communiste, mais qui ne leur appartiennent pas légalement, peut être évaluée à 9 300 milliards de dollars. Soit la capitalisation totale de l'ensemble des sociétés cotées sur les Bourses principales des 20 pays les plus développés. Soit encore près de 100 fois l'aide au développement accordée au tiers monde par l'ensemble des pays avancés depuis les années 1990 !

Reste que le système, qui permettrait de mobiliser ces sommes considérables – actuellement noyées dans l'économie clandestine – se heurte à de nombreux freins et lourdeurs administratives.

Aujourd'hui, la partie n'est pas gagnée, mais l'ILD est en contact avec 35 chefs d'Etat disposés à valoriser le capital des pauvres à travers le monde. Avec l'idée de faire voter, à terme aux Nations unies, une résolution renforçant l'article 17 de la Déclaration universelle des droits de l'homme pour affirmer : « *Toute personne a droit à la propriété.* »

L'Histoire : Comment analysez-vous la crise* du capitalisme financier ?

Hernando de Soto : Le regard que je porte sur la crise est celui d'un *outsider*, puisque je m'occupe, à Lima, d'un *think tank* (un laboratoire d'idées), dont la vocation est de permettre à chacun d'accéder à la propriété dans les économies émergentes. Mais ce regard est nourri par mes activités professionnelles sur les marchés émergents. Je voyage sans cesse de l'Afrique à l'Extrême-Orient et ce qui me frappe, au travers de ces pérégrinations, c'est que la crise actuelle est en réalité plutôt modeste.

L'H. : Une crise plutôt modeste ? Ce jugement s'écarte de l'immense majorité des analyses formulées par vos pairs !

H. de S. : Nous avons été confrontés à un krach financier qui provient d'une augmentation exponentielle des crédits immobiliers, adossés à des produits financiers qualifiés, tant et si bien que la bulle immobilière a explosé. Mais, si vous réfléchissez à la taille de cette bulle aux Etats-Unis (7 % de prêts immobiliers pour les pauvres), cela ne justifie pas de parler, comme on le fait, d'un énorme effondrement. Mes séjours dans les marchés émergents m'ont persuadé que la principale menace à laquelle ils sont confrontés est ce qu'on appelle l'économie informelle. Les pays soumis à une économie extra-légale ne manquent pas d'instruments d'encadrement légaux. Ils ne manquent pas non plus de documents officiels, ni de titres de propriété. Ce dont ils manquent, c'est d'un cadre législatif unifié. Chacun tend à confondre contexte anarchique et déficit de lois. C'est le contraire : l'anarchie se caractérise par une prolifération et une surabondance de lois. Et cette profusion contribue justement à les annuler les unes les autres.

L'H. : Voulez-vous dire, comme vous le suggérez dans Le Mystère du capital, *que le mérite du capitalisme est d'avoir organisé et rationalisé cette profusion juridique ?*

H. de S. : La caractéristique de l'économie capitaliste, c'est que toutes les valeurs y sont représentées par des documents. Ce que l'Occident a appris avec le capitalisme, c'est à protéger la valeur des biens à travers des actes de propriété, rédigés sous la forme de documents. Ce faisant, cette civilisation a aussi trouvé le moyen d'empêcher leur dépréciation* et leur falsification. Le but est de s'assurer que les instruments représentatifs, comme la monnaie ou quelque document, représentent fidèlement une valeur et ne sont pas dévalués en raison d'un risque trop élevé de falsification.

L'H. : Cela dit, comme en conviennent la plupart des économistes, la crise récente a prouvé que cette fiabilité n'était pas totale...

H. de S. : Parmi les valeurs que nous possédons, combien sont constituées de liquidités* monétaires ? Une somme finalement très réduite. Le reste est, comme le disent les Anglo-Saxons, *moneyness*. La liquidité voyage surtout sous la forme de titres, qui ont connu, ces derniers temps, une inflation* exponentielle. L'économie capitaliste globalisée est parvenue à créer des actes sur la base desquels les acteurs se font confiance, sans jamais s'être rencontrés. Ce qui s'est produit ces dernières années, c'est que nous avons accumulé des monceaux de documents dépourvus de fiabilité.

L'H. : *Revenons sur les efforts de ces cinq derniers mois pour empêcher ou amortir les faillites des systèmes bancaires. Sont-ils couronnés de succès ? Ou bien, derrière l'apparence d'un endiguement partiel, le système est-il profondément vermoulu ?*

H. de S. : Ces tentatives sont sans doute une partie de la solution, mais elles ne peuvent en constituer la totalité. La seule issue viable consiste plutôt à essayer de comprendre pourquoi les banques refusent désormais de s'accorder des prêts les unes aux autres. Si elles ne le font pas, ce n'est pas en raison d'un manque de fonds propres, mais plutôt parce qu'elles sont désormais privées de toute confiance. En fait, plus aucune institution bancaire n'a la moindre idée du nombre de titres dépréciés détenus par ses concurrentes. La contraction du crédit, qui a provoqué l'explosion de la bulle immobilière, n'est rien d'autre qu'une perte de confiance. La seule façon de retrouver les voies de la confiance, c'est de dénombrer et de recenser tous les titres malades, puis de les retirer du marché. L'accent doit être mis sur la reconstruction d'un ordre légal pour stopper la prolifération de titres démonétisés.

L'H. : Quels sont les scénarios possibles de sortie de crise ?

H. de S. : Face à cette situation inédite, il nous faut d'abord accomplir un effort intellectuel et tenter de comprendre pourquoi nous ne savons pas. Le problème récurrent du capitalisme, c'est son ignorance des règles qui le régissent. Tandis que de nombreux commentateurs et moult théoriciens ont été depuis longtemps capables d'analyser et d'expliquer les règles de l'économie administrée, nous persistons à méconnaître une grande part de celles inhérentes à l'économie capitaliste. La plupart des grandes puissances occidentales ont été des puissances coloniales, mais elles ont été incapables de transférer leur système économique aux pays qu'elles ont dominés. Il n'est pas sûr que cette inaptitude tienne uniquement à leur égoïsme. Elle tient bien plus sûrement à leur incapacité à comprendre les ressorts de leur succès.

L'H. : Quel a été, sur la durée, le ressort de ce succès « en aveugle » ?

H. de S. : Je l'ai dit, l'aptitude à incarner, sous la forme de documents, chaque titre de propriété. Cela a donné à ces puissances les informations relatives à la valeur tout en leur permettant de prendre des risques calculés. Une innovation essentielle, qui commença au XIXᵉ siècle – songeons à la révolution que fut, pour la France, l'invention des registres fonciers –, avant de s'accomplir, après la fin de la Seconde Guerre mondiale, avec les accords de Bretton Woods (1944). Les soixante années qui ont suivi ont offert à l'Occident une croissance* supérieure à celle qu'il avait connu pendant les deux millénaires précédents. Mais c'est aussi pendant cette période qu'on a oublié la différence entre l'argent – qui ne représente, dans cette affaire, que 13 trillions[1] de dollars, et le marché du crédit, qui s'élève à des centaines de trillions de dollars.

L'H. : *Auriez-vous énoncé les mêmes conseils si vous aviez été témoin de la crise de 1929 ?*
H. de S. : Je n'en suis pas sûr. Il existe certaines similitudes entre ce qui arrive aujourd'hui et ce qui s'est produit hier. Mais il existe aussi de fortes différences. Car les nations n'étaient pas si interdépendantes qu'elles le sont aujourd'hui. Elles étaient encore à même de développer des stratégies de riposte extrêmement variées les unes des autres. La crise des *subprimes** a montré que nous sommes plus interdépendants que nous ne l'imaginions. Comme en 1929, le problème vient aujourd'hui aussi du fait qu'une quantité excessive de crédits a été accordée. Mais à la différence de 1929, l'argent représente des sommes beaucoup

---

1. Un trillion est égal à 1 milliard de milliards (10^{18}).

moins importantes que le crédit. L'un des acquis de la grande crise de 1929, ce fut d'accoutumer les gouvernements à contrôler des masses monétaires.

Nous savons que, dans les pays du Sud, on peut gonfler une économie avec de l'argent sans pour autant générer du capital. C'est ce qu'ont fait les économies développées du Nord ces dernières années. Elles ont été conduites à séparer la finance du système de propriété et de biens solidement établis. Elles ont créé une bulle spéculative isolée du champ de la logique. Quand l'Etat américain a renfloué la compagnie d'assurances AIG et lui a demandé de quantifier ce dont elle disposait en capital, elle n'a pas pu répondre. Voyez encore l'incapacité de nombreuses banques, non seulement à dire la vérité sur l'état de leur dette, mais, tout simplement, à en faire l'inventaire. Il faut bien avoir présent à l'esprit que la majeure partie du droit des titres de propriété échappe à tout vrai contrôle.

L'H. : *Pourquoi dites-vous que l'Occident n'a pas accompli jusqu'au bout sa révolution économique et juridique ?*

H. de S. : L'apport décisif de l'Occident à l'humanité a résidé dans la création d'un système économique sophistiqué de propriété et de droit, un système de représentation, permettant de fixer la valeur des biens que possède toute personne, riche ou pauvre. Le capitalisme établit des titres de propriété et des documents légaux, de telle sorte qu'un terrain, une maison, une voiture, des machines ou des stocks se transforment en capital, c'est-à-dire en un système d'information fiable permettant de faire des affaires.

Au milieu du XVIIIe siècle, l'Occident a détruit l'ancien système où les privilèges, les propriétés et les richesses étaient aux mains des élites. Il a établi un système de propriété, de droits et de papier, et l'a rendu en principe accessible à tous. Le capitalisme rend plusieurs services essentiels. Il établit les responsabilités de chacun. Il rend toute propriété tangible, ce qui permet de la diviser sans l'affecter. Il installe un droit des transactions. Il intègre les informations dispersées. Il installe la confiance et garantit les dettes. Il permet de développer l'activité économique de manière rationnelle et d'irriguer toute la société, jusqu'au niveau de l'initiative individuelle. La mondialisation* des échanges a pu se réaliser parce que votre système de droit et de propriété permet de garder la trace tangible des valeurs. Mais avec le capitalisme financier des dix dernières années, ce système de pistage et d'identification a été perdu. Vous avez oublié ce qui est au fondement même du capitalisme : rendre la valeur lisible par tous, l'établir par un droit de propriété. Tout ce qui nous fait défaut au Sud.

L'H. : La crise actuelle met en lumière un commun déficit de ce cadre juridique entre les sociétés industrielles du Nord et les économies émergentes du Sud. N'est-il pas temps d'inventer une nouvelle gouvernance mondiale ?

H. de S. : Avant le début de la récession*, mon obsession était de savoir comment convaincre les sociétés industrielles du Nord – autrement dit l'Occident – de se persuader de l'importance du développement de la propriété pour les économies émergentes du Sud. Ce qui m'inquiète, c'est d'entendre nombre de vos dirigeants prétendre que nous vivons la « *débâcle* » du capitalisme ou le « *retour à Marx* » et que rien n'est plus urgent que de relire les œuvres de John Maynard Keynes. Cela ne réglera de toute façon qu'une partie du problème.

Ce qui est bien plus nécessaire, et ce que toute gouvernance future sera appelée à faire, c'est de reconnaître que le système capitaliste est essentiellement un système de règles qui enregistre les valeurs sous la forme de titres, de sorte qu'un entrepreneur puisse travailler à une large échelle. Le défi fondamental posé à toute gouvernance future reste la manière dont l'Occident va définir les règles de marché. La propriété est avant tout un système juridique, un système de droits et de devoirs. Quand le capitalisme a établi des registres fonciers, immobiliers, vous avez pu évaluer vos élites, leurs biens et les imposer en conséquence. Tant que vous possédiez des registres fiables des valeurs, vous gardiez un contrôle sur le système.

Ce qu'a révélé la crise des *subprimes,* c'est la perte totale de contrôle de l'Occident sur le système. Toute l'information est devenue fausse ou, selon la formule du prix Nobel d'économie Joseph Stiglitz, « asymétrique ». S'agissant du système financier, vous vous retrouvez dans la même situation que les pays du Sud, pour l'ensemble du système économique. Nous non plus, nous ne connaissons pas la vraie valeur de nos biens, nous ignorons l'état de nos richesses et nous sommes incapables de les garantir. Si bien que la majorité de la population des pays émergents vit dans l'extralégalité, aux marges de l'économie mondiale.

La gouvernance à venir devrait rendre explicite ce qui, dans le système capitaliste, est resté jusqu'ici implicite.

(Propos recueillis par Alexis Lacroix.)

Les mots-clés du capitalisme

ACTION

Titre représentant une fraction du capital d'une société anonyme. L'action confère à son propriétaire le droit de participer à l'assemblée générale des actionnaires et de toucher une part des bénéfices sous forme de dividendes.

BANQUE CENTRALE

Apparues à des dates différentes (1694 en Angleterre, 1800 en France, 1913 aux Etats-Unis...), les banques centrales ont le monopole d'émission de la monnaie fiduciaire (les billets de banque). Banques des banques, elles sont prêteurs en dernier ressort et veillent à éviter les faillites, en cas de crise financière, en injectant des liquidités*. Elles font varier le loyer de l'argent par l'intermédiaire de leurs taux directeurs*. Elles gèrent aussi les taux de change en collaboration entre elles, le FMI et les autorités publiques.

BOURSE

Créée pour organiser un marché des capitaux en rapport avec le développement du commerce, la première Bourse importante fut celle d'Anvers en 1592. Au XIXe siècle, les Bourses de Londres et de Paris affirment leur suprématie, avant d'être devancées par Wall Street, basée sur le dollar. On y trouve deux catégories de valeurs : les obligations* à revenus fixes et les actions* à revenus variables.

CAC 40

« Système de cotation assistée en continu » synthétisant l'évolution boursière des 40 premières sociétés cotées, le CAC 40 est le principal indice boursier sur la place de Paris. Créé en 1987, il reflète la tendance économique globale des grandes entreprises françaises. Depuis 2000, il a subi d'importantes variations, témoins du comportement versatile des intervenants, qui alternent les phases d'euphorie, de dépression et de pessimisme.

CAPITALISME

Système économique où les moyens de production et d'échange sont propriété privée. Son fonctionnement est assuré par le marché, c'est-à-dire la confrontation de l'offre et de la demande, et la libre concurrence. Il a pour moteur l'intérêt particulier et la recherche du profit qui récompensent des risques pris par les entrepreneurs. D'abord marchand à l'époque moderne, le capitalisme devient industriel au XIXᵉ siècle et, par la suite, de plus en plus financier.

CHAÎNE OU PYRAMIDE DE PONZI

Ce système d'escroquerie par cavalerie porte le nom de l'un de ses plus célèbres utilisateurs, Charles Ponzi, qui devint millionnaire en six mois, en 1920, à Boston.

Le jeu consiste à promettre de fortes rémunérations à des investisseurs, l'argent des nouveaux venus permettant de rétribuer les plus anciens, jusqu'à l'explosion du système. En détournant 50 milliards de dollars, Bernard Madoff n'a rien inventé.

COURTIER

Broker en anglais. Ce professionnel du commerce est un intermédiaire financier chargé de mettre en relation des prêteurs (les banques, par exemple) avec des emprunteurs. A ce titre, il est rémunéré à la commission.

CREDIT CRUNCH

Ce terme anglais désigne une brusque raréfaction des crédits offerts par le système bancaire aux entreprises ou aux particuliers, ainsi que des crédits interbancaires. Synonyme de crise de confiance, la paralysie du crédit affecte l'ensemble des activités économiques.

CRISE

Du grec *krisis*, ce mot marque le changement décisif qui survient au cours d'une maladie – vers la guérison ou l'aggravation. En économie, la crise se caractérise par un brusque retournement à la baisse de la conjoncture. Les investissements chutent, la production recule, les entreprises les plus fragiles font faillite et le chômage augmente. Dérangement temporaire du marché qui purge l'économie de ses excès, selon les libéraux, les crises ponctuent l'histoire du capitalisme*, en moyenne une fois par décennie. Nées le plus souvent d'un choc financier, d'un krach boursier ou d'une faillite de grandes banques, elles se différencient par leur gravité, leur extension et leur durée.

CROISSANCE

Elle est mesurée chaque année par l'évolution du produit intérieur brut (PIB) ou du produit national brut (PNB). Elle peut être, selon la conjoncture, négative, faible ou molle, forte, voire excessive, génératrice de surchauffe, c'est-à-dire marquée par une dérive inflationniste.

DÉFLATION

Baisse générale des prix, s'oppose à l'inflation. Cette situation tire l'activité économique d'un pays vers le bas. La baisse des prix engendre l'alourdissement des dettes en cours, elle décourage les investisseurs, provoque des faillites, accroît le chômage et finit par peser sur l'ensemble des revenus, aggravant le marasme économique.

DÉPRÉCIATION

Perte de valeur d'un bien et, plus généralement, d'une monnaie par rapport à une autre. Ainsi, depuis son adoption par une partie des pays membres de l'Union européenne, l'euro s'est fortement apprécié par rapport au dollar. A l'inverse, le dollar, la livre sterling et le rouble enregistrent actuellement de fortes dépréciations.

DÉPRESSION

Comme l'écrivit en 1895 l'économiste belge Hector Denis, à propos de la Grande Dépression de 1873-1896 : « *Le mot dépression exprime une décroissance de vitesse et d'intensité dans le mouvement général de la richesse ; c'est comme un retrait lent, graduel de la vie, dont les effets s'aggravent par sa prolongation même, et dont on n'entrevoit pas l'issue.* » Marquée par un ralentissement de la croissance, une baisse lente des prix, un chômage chronique et un climat général de morosité et d'inquiétude, la dépression économique dure aux XIXe et XXe siècles de vingt à trente ans.

DÉRÉGLEMENTATION

Deregulation en anglais. C'est la réduction ou la suppression des contraintes réglementaires. Soutenue par les politiques libérales, elle vise à renforcer la concurrence et le libre jeu du marché. La déréglementation financière, mise en place depuis les années 1980, est dénoncée comme étant la cause profonde de la crise qui secoue l'économie mondiale depuis l'été 2007.

DETTE PUBLIQUE

C'est l'ensemble des engagements financiers pris sous forme d'emprunts par l'État, les collectivités publiques et les organismes qui leur sont rattachés. Les pays de l'Union européenne se sont engagés à plafonner leur dette publique à 60 % du PIB, selon les critères du traité de Maastricht (1992).

DOW JONES

Le plus vieil indice boursier du monde, créé en 1896, est toujours en vigueur à Wall Street. Comme le CAC 40 pour la France, le Dow Jones Industrial Average permet d'apprécier la vigueur de l'économie américaine et plus encore le moral des spéculateurs.

ETAT-PROVIDENCE

L'Etat-providence ou *Welfare State* s'oppose à l'Etat-gendarme cher aux libéraux – l'Etat se restreint alors à ses fonctions régaliennes de police, justice et défense. Il a pour objectif d'assurer le bien-être de tous par une redistribution des revenus couvrant les grands risques sociaux : maladie, accidents, chômage, vieillesse, handicap... La bible du *Welfare State* est le rapport Beveridge de 1942 en Grande-Bretagne. Le député William

Beveridge y propose un système général de sécurité sociale associant le principe d'assurance et d'assistance (revenu minimum assuré à tous). La plupart des pays capitalistes, à l'exception du Japon, ont établi des législations de ce type, après-guerre.

INFLATION

Hausse générale, durable, mais non homogène, des prix, mesurée en France par l'indice des prix à la consommation de l'Insee. Elle entraîne une baisse du pouvoir d'achat de la monnaie. Pendant les Trente Glorieuses, l'inflation des salaires a été, grâce aux progrès de la productivité, bien supérieure à celle des prix : les prix réels ont donc baissé, favorisant la société de consommation et une forte augmentation du taux d'équipement des ménages.

LIBÉRALISME

Cette doctrine défend la liberté totale de l'entreprise et la liberté de marché, c'est-à-dire la liberté des échanges de biens et de services, la liberté des prix et celle du marché du travail. Selon ses théoriciens aux XVIIIe et XIXe siècles, l'Ecossais Adam Smith ou l'Anglais David Ricardo, il existe un ordre naturel : la loi de l'offre et de la demande tend spontanément vers l'équilibre. Le libéralisme s'oppose au dirigisme, à l'étatisme et à toute intervention de l'Etat.

LIBRE-ÉCHANGE

Système de commerce international qui repose sur l'absence de barrières douanières, et non tarifaires, de règlements techniques ou sanitaires qui limitent la libre circulation des biens et des services. L'Organisation mondiale du commerce (OMC), qui a remplacé, en 1995, l'Accord général sur les tarifs et le commerce (le Gatt, signé en 1947), cherche à promouvoir le libre-échange multilatéral.

LIQUIDITÉ

Qualité fondamentale de la monnaie, dont le pouvoir d'achat est immédiatement disponible ; détenir des liquidités permet à l'entreprise de faire face à ses échéances financières. De la même façon, la liquidité bancaire, ou « cash », désigne l'ensemble des actifs détenus par l'institution pour couvrir ses règlements. La liquidité interbancaire témoigne de la bonne volonté des banques à se prêter mutuellement de l'argent.

MONDIALISATION

Globalization en anglais. Ce terme, apparu dans les années 1980, désigne le processus d'ouverture des économies mondiales sur un marché planétaire. Elle s'est amorcée il y a plusieurs siècles, mais c'est vers la fin du XIXᵉ siècle que les flux d'échanges sont devenus assez importants pour entraîner une convergence des prix sur le marché mondial. En recul de 1914 à 1945, la mondialisation renaît après la guerre sous l'impulsion, notamment, des Etats-Unis.
Cette universalisation de l'économie de marché a connu une accélération à partir des années 1980 et un élargissement à de nouveaux partenaires après l'effondrement de l'empire soviétique et l'ouverture de la Chine.

MULTINATIONALE

Entreprise réalisant une part notable de son chiffre
d'affaires hors de son pays d'origine. Apparues dès la
fin du XIXe siècle, ces sociétés se sont multipliées depuis
1945 pour profiter de la mondialisation*. D'abord américaines, puis européennes et japonaises, elles se développent dans les pays émergents.

NASDAQ

Créé aux États-Unis en 1971, le Nasdaq (National
Association of Securities Dealers Automated Quota-
tions) est le plus grand marché électronique d'actions
au monde. Il sert notamment à coter les actions des
sociétés de la « nouvelle économie », qui sont porteu-
ses des nouvelles technologies de l'information et de la
communication (NTIC).

OBLIGATION

Titre de créance représentant une fraction d'emprunt
émis à long terme par une entreprise ou un Etat. Elle
donne droit à une rémunération fixée à l'avance par
un taux d'intérêt*.

PROTECTIONNISME

Ensemble des mesures prises par un Etat pour défen-
dre ses intérêts et ceux des entreprises face à la
concurrence étrangère – droits de douane, notamment.
Il s'oppose au libre-échange. Sa forme extrême correspond aux politiques d'autarcie qui visent à réduire le
plus possible les importations, en recourant à des produits de substitution nationaux – une pratique mise en
œuvre par l'Italie fasciste dès le milieu des années
1920, et par l'Allemagne nazie dans les années 1930.

RÉCESSION

A la différence de la crise, qui se traduit par un recul plus ou moins prononcé de la production, la récession se limite à un ralentissement du taux de croissance. De 1945 à 1973, le recours à la régulation keynésienne* a permis aux pays capitalistes d'éviter le retour des crises et de limiter les variations conjoncturelles à des récessions.

RUN

C'est le mouvement de panique qui saisit les épargnants ou les boursicoteurs et qui les précipite tous pour récupérer leurs économies à la banque ou vendre leurs actifs.

REFLATION

Processus de relance économique par une augmentation du pouvoir d'achat et de la consommation.

RÉGULATION KEYNÉSIENNE

Cette politique consiste à alterner selon la conjoncture des mesures de freinage en cas de surchauffe inflationniste, par réduction des dépenses budgétaires ou hausse des taux d'intérêt*, et des mesures de relance fondées sur le recours au déficit budgétaire et sur la détente du loyer de l'argent.

STAGFLATION

Contraction des termes stagnation et inflation, elle désigne une conjoncture qui allie un ralentissement de la croissance, marqué par une hausse du chômage et une dérive inflationniste. Observée pour la première fois aux Etats-Unis, en 1970, elle marque l'usure de la régulation keynésienne* : les politiques de relance aggravent l'inflation, mais échouent à stimuler la croissance et à réduire le chômage.

STOCK OPTION

Forme de rémunération des dirigeants et cadres supérieurs des grandes entreprises qui peuvent acheter des titres de la société où ils travaillent.

SUBPRIME

Cette forme de crédit à risque, à taux variable, adossé aux Etats-Unis sur le taux directeur* de la Banque centrale* et accordé massivement dans les années 2000, devait permettre à des familles modestes d'emprunter – sous réserve d'accepter une garantie hypothécaire qui portait le plus souvent sur le logement. L'augmentation des taux d'intérêt*, en déséquilibrant ce montage financier à partir de 2007, a sans doute ruiné 5 millions de ménages américains.

TAUX D'INTÉRÊT

Loyer de l'argent, le taux d'intérêt définit le coût d'un emprunt et la rémunération du prêteur. Le taux varie en fonction de la durée de l'emprunt. Il dépend aussi de la politique de la Banque centrale* qui fixe les taux de base, en fonction de la conjoncture.

TAUX DIRECTEURS

Fixés par les banques centrales, et dans la zone euro par la Banque centrale européenne (BCE), ils définissent l'attitude de ces banques, gardiennes de la monnaie, face à la conjoncture. Le principal est le taux de refinancement, qui fixe au jour le jour le « coût de l'argent ». Aux Etats-Unis, face à l'ampleur de la crise financière et à la menace d'une récession* durable, la Federal Reserve (FED) a abaissé son principal taux directeur de 5 %, à l'été 2007, à 0,25 %, en décembre 2008, ce qui constitue un record historique.

TITRISATION

Cette technique financière est née aux Etats-Unis, dans les années 1970. Elle transforme, *via* des sociétés *ad hoc*, des actifs, pour lesquels il y a peu de marché, en des valeurs plus facilement négociables. La titrisation a été très utilisée par les organismes de crédit pour refinancer une partie de leurs encours – c'est-à-dire transformer des prêts à la clientèle en titres négociables. La titrisation a notamment permis de noyer les *subprimes**, ces crédits hypothécaires à haut risque, dans des produits financiers complexes et opaques, achetés en masse par des banques ou par des fonds d'investissement.

Bibliographie

OUVRAGES GÉNÉRAUX

J.-CH. ASSELAIN, *Histoire économique du XXᵉ siècle*, 2 vol., Presses de Sciences Po et Dalloz, 2004.

R. BÉNICHI, *Histoire de la mondialisation*, Vuibert, 3ᵉ édition, 2008.

J.-F. GREVET, F. MARTIN, M. RAPOPORT, R. BÉNICHI (dir.), *Les Mutations de l'économie mondiale. Du début du XXᵉ siècle aux années 1970*, Nathan, 2007.

B. JACQUILLAT et V. LEVY-GARBOUA, *Les 100 mots de la crise financière*, PUF « Que sais-je », 2009.

LE KRACH DE LA TULIPE

O. BLEYS, *Semper Augustus*, Gallimard « Folio », 2008 (roman).

A. GOLDGAR, *Tulipmania. Money, Honor and Knowledge in the Dutch Golden Age*, University of Chicago Press, 2007, rééd. 2008.

LA RUINE DU SYSTÈME DE LAW

D. DESSERT, *Argent, pouvoir et société au Grand Siècle*, Fayard, 1984.

E. FAURE, *La Banqueroute de Law, 17 juillet 1720*, Gallimard, 1977.

LA FOLIE DU CHEMIN DE FER

F. CARON, *Histoire des chemins de fer en France*, 2 vol., Fayard, 1997 et 2005.

Y. LECLERCQ, *Le Réseau impossible, 1820-1852*, Droz, 1987.

J. SIMMONS, *The Railways of Britain*, Macmillan, rééd. 1986.

LA FAILLITE DE L'UNION GÉNÉRALE

J. BOUVIER, *Le Krach de l'Union générale, 1878-1885*, Presses Universitaires de France, 1960.

E. ZOLA, *L'Argent*, Gallimard « Folio », 1980 (roman).

LE MYTHE DES « GROS »

P. BIRNBAUM, *Le Peuple et les Gros. Histoire d'un mythe*, Grasset, 1979, rééd. Hachette Littératures « Pluriel », 1995.

KONDRATIEV

E. BOSSERELLE, *Le Cycle Kondratieff : théories et controverses*, Masson, 1994.

N. KONDRATIEFF, *Les Grands cycles de la conjoncture*, Economica, 1992.

LE KRACH DE 1929

J. K. GALBRAITH, *La Crise économique de 1929. Anatomie d'une catastrophe financière*, Petite bibliothèque Payot, rééd. 2008.

B. GAZIER, *La Crise de 1929*, PUF « Que sais-je ? », 5e édition, 2007.

J. M. KEYNES, *Les Conséquences économiques de la paix*, Gallimard, 2002.

G. THOMAS, M. MORGAN-WITTS, *Wall Street. Dans les coulisses du krach de 1929*, Ed. Nouveau Monde, 2009.

LA GRANDE DÉPRESSION EN AMÉRIQUE

J. K. GALBRAITH, *L'Argent*, Gallimard, 1976.

J. HEFFER, *La Grande Dépression. Les Etats-Unis en crise, 1929-1933*, Gallimard « Folio-Histoire », 1976, rééd. 1991.

H. MCCOY, *On achève bien les chevaux*, Gallimard « Folio-Policier », 1999 (roman).

J. STEINBECK, *Les Raisins de la colère*, Gallimard « Folio », 1972 (roman).

LA CRISE DE 1929 EN ALLEMAGNE

M. HAU, *Histoire économique de l'Allemagne. XIXe-XXe siècles*, Economica, 1994.

R. J. OVERY, *War and Economy in the Third Reich*, Oxford University Press, 1994, rééd. Clarendon Press, 1995.

KEYNES

G. DOSTALER, *Keynes et ses combats*, Albin Michel, 2005, rééd. 2009.

C. H. HESSION, *John Maynard Keynes*, Payot, 1985.

J. M. KEYNES, *Théorie générale de l'emploi, de l'intérêt et de la monnaie* (1936), Payot, 1998.

A. MINC, *Une sorte de diable. Les vies de John Maynard Keynes*, Grasset, 2007.

F. POULON, *La Pensée économique de Keynes*, Dunod, 2e édition, 2004.

LES TRENTE DERNIÈRES ANNÉES

M. AGLIETTA, *La Crise. Pourquoi on en est arrivé là ? Comment en sortir ?*, Michalon, 2008.

P. ARTUS et M.-P. VIRARD, *Globalisation. Le pire est à venir*, La Découverte, 2008.

J. ATTALI, *La Crise, et après ?*, Fayard, 2008.

D. CLERC, *Comprendre la crise*, J.-P. Delarge, 1977, rééd. Éditions Universitaires, 1989.

P. JORION, *La Crise. Des subprimes au séisme financier planétaire*, Fayard, 2008.

P. KRUGMAN, *L'Amérique que nous voulons*, Flammarion, 2008.

G. LIEBERT (dir.), *Les Sept Crises, 1973-1983*, L'Expansion 1984, rééd. Hachette Littératures « Pluriel », 1984.

O. PASTRÉ, J.-M. SYLVESTRE, *Le Roman vrai de la crise financière*, Perrin, 2008.

J.-M. QUATREPOINT, *La Crise globale. On achève bien les classes moyennes, et on n'en finit pas d'enrichir les élites*, Mille et Une Nuits, 2008.

LE SUD

B. BADIE, *Le Diplomate et l'intrus. L'Entrée des sociétés dans l'arène internationale*, Fayard, 2008.

S. BRUNEL, *A qui profite le développement durable ?* Larousse, 2008.

H. KEMPF, *Pour sauver la planète, sortez du capitalisme*, Le Seuil, 2009.

H. DE SOTO, *Le Mystère du capital. Pourquoi le capitalisme triomphe en Occident et échoue partout ailleurs ?*, Flammarion, 2005, rééd. « Champs » Flammarion, 2007.

TABLE

TABLE 239

collection tempus
Perrin

Déjà paru

27. *La Grande Guerre des Français* – Jean-Baptiste Duroselle.
28. *Histoire de l'Italie* – Catherine Brice.
29. *La civilisation de l'Europe à la Renaissance* – John Hale.
30. *Histoire du Consulat et de l'Empire* – Jacques-Olivier Boudon.
31. *Les Templiers* – Laurent Daillez.
32. *Madame de Pompadour* – Évelyne Lever.
33. *La guerre en Indochine* – Georges Fleury.
34. *De Gaulle et Churchill* – François Kersaudy.
35. *Le passé d'une discorde* – Michel Abitbol.
36. *Louis XV* – François Bluche.
37. *Histoire de Vichy* – Jean-Paul Cointet.
38. *La bataille de Waterloo* – Jean-Claude Damamme.
39. *Pour comprendre la guerre d'Algérie* – Jacques Duquesne.
40. *Louis XI* – Jacques Heers.
41. *La bête du Gévaudan* – Michel Louis.
42. *Histoire de Versailles* – Jean-François Solnon.
43. *Voyager au Moyen Âge* – Jean Verdon.
44. *La Belle Époque* – Michel Winock.
45. *Les manuscrits de la mer Morte* – Michael Wise, Martin Abegg Jr.
    & Edward Cook.
46. *Histoire de l'éducation*, tome I – Michel Rouche.
47. *Histoire de l'éducation*, tome II – François Lebrun, Marc Venard,
    Jean Quéniart.
48. *Les derniers jours de Hitler* – Joachim Fest.
49. *Zita impératrice courage* – Jean Sévillia.
50. *Histoire de l'Allemagne* – Henry Bogdan.
51. *Lieutenant de panzers* – August von Kageneck.
52. *Les hommes de Dien Bien Phu* – Roger Bruge.
53. *Histoire des Français venus d'ailleurs* – Vincent Viet.
54. *La France qui tombe* – Nicolas Baverez.
55. *Histoire du climat* – Pascal Acot.
56. *Charles Quint* – Philippe Erlanger.
57. *Le terrorisme intellectuel* – Jean Sévillia.
58. *La place des bonnes* – Anne Martin-Fugier.
59. *Les grands jours de l'Europe* – Jean-Michel Gaillard.
60. *Georges Pompidou* – Éric Roussel.
61. *Les États-Unis d'aujourd'hui* – André Kaspi.
62. *Le masque de fer* – Jean-Christian Petitfils.
63. *Le voyage d'Italie* – Dominique Fernandez.
64. *1789, l'année sans pareille* – Michel Winock.

À PARAÎTRE

Composition Nord Compo
Villeneuve-d'Ascq

Impression réalisée par

C P I
Brodard & Taupin

La Flèche (Sarthe), le 21-12-2009
pour le compte des Éditions Perrin
11, rue de Grenelle
Paris 7^e
N° d'édition : 2551 – N° d'impression : 56029
Dépôt légal : décembre 2009
Imprimé en France